Karl Baert
Gudrun Vanderbeck

Als je kind NLD heeft

Gids voor ouders, leerkrachten en hulpverleners

WWW.LANNOO.COM

Dit boek verscheen eerder onder de titel *Mijn kind heeft NLD. Als je kind NLD heeft* is de herwerkte en uitgebreide versie van *Mijn kind heeft NLD.*

OMSLAGONTWERP Studio Jan de Boer
OMSLAGILLUSTRATIE Corbis

Tweede druk

ISBN 978-90-209-6635-0 (1ste bijdruk)
D/2007/45/59 – NUR 740

GEDRUKT EN GEBONDEN BIJ Drukkerij Lannoo nv, Tielt

INHOUD

DANKWOORD

Graag wil ik iedereen bedanken die me heeft gesteund om dit boek tot stand te brengen. In de eerste plaats mijn echtgenote Hadewych, mijn kinderen Jonathan en Hannelore en mijn ouders Monique en Aimé. Daarnaast ook speciale dank aan dr. Ferdinand Cuvelier voor het nalezen van de teksten over sociale vaardigheden.
Karl Baert

Bedankt Bart, voor het oplossen van mijn vele computerproblemen, voor je begrip als ik weer eens weg ben voor de vereniging, maar vooral voor je hulp en steun!

Bedankt ook lieve collega's, voor de goede zorgen aan mijn en alle andere kinderen op school, met een extraatje voor Annemie Diris voor haar 'mee zoeken en ondersteunen' en Marc Jansen voor het gebruik van de schoolfaciliteiten en de steun aan de vereniging.

Bedankt vrijwilligers van de NLD-vereniging, voor jullie belangeloze inzet.

Bedankt papa Marcel, voor je hulp, voor velen onzichtbaar op de achtergrond maar onontbeerlijk voor de vereniging.
Gudrun Vanderbeck

Bedankt lieve Yoshi
Voor je humor
Voor je geduld
Voor je doorzettingsvermogen, ook op moeilijke momenten
Voor je creativiteit
Voor je echtheid
Voor je eerlijkheid
Voor je openheid
Voor je oprechtheid
Gewoon bedankt om wie je bent!
Mama

WOORD VOORAF

Gaat het om een bijzondere vorm van autisme, is het een leer- of gedragsstoornis, is visueel-ruimtelijke leerstoornis een betere benaming? De discussie onder wetenschappers woedt momenteel heviger dan ooit. Rourke zal het wel zo bedoeld hebben toen hij twintig jaar geleden het NLD-concept aan de wereld aanbood. Als neuropsycholoog meende hij immers uitspraken te kunnen doen over de relatie tussen hersenen en gedrag en het NLD-syndroom te plaatsen in de ingewikkelde wisselwerking tussen beide. Het is een uiterst complex gegeven met een veelheid aan kenmerken, die zich bevinden op het niveau van gedrag, kennis en informatieverwerking en biologie van de hersenen, kenmerken die ook nog eens veranderen in de loop van de ontwikkeling. Dat leidt tot wetenschappelijke verwarring en draagt niet altijd bij tot helderheid. Maar mogelijk is het ook de kracht van het syndroom: een kind heeft ernstige gedrags- en leerproblemen, die vaak samen voorkomen. Ze verwijzen naar een bepaalde, heel specifieke wijze van omgaan met de wereld en naar een profiel van sterke en minder sterke cognitieve vaardigheden. Deze zijn terug te brengen tot een bepaald probleem in de verbinding tussen zenuwcellen van de hersenen.

Misschien moeten we deze wetenschappelijke verwarring oplossen door terug te gaan tot de essentie: het syndroom dus opnieuw uitkleden en vertrekken van één van de meest typische problemen: het visueel-ruimtelijk inzicht. We gaan dan op zoek naar een groep van kinderen die een visueel-ruimtelijk tekort vertonen en bekijken wat er met hen aan de hand is. Dit is precies waar we ons nu als onderzoekers mee bezighouden. Alvast twee typische problemen komen bijna bij al deze kinderen voor: problemen met wiskunde en problemen met sociale interacties. Onderzoek loopt nog naar de relatie met autisme en naar de eigen taalproblematiek bij deze groep. De cirkel is zeker nog lang niet rond en er gaan stemmen op om heel de discussie te laten voor wat ze is en gewoon vanuit de dagelijkse praktijk te zoeken naar houvasten om deze groep van kinderen te helpen.

Dit is dan meteen ook de opzet van dit boek, geschreven door en voor praktijkmensen vanuit de opvoedings- en onderwijswereld. Want Seppe, Wouter, Lotte, Robbe en Julie hebben aan al dat gekibbel over syndromen en stempels geen boodschap. Hun ouders en leerkrachten willen weten hoe deze kinderen geholpen kunnen worden, met hun andere kijk op de wereld en de dingen, met hun onbegrip voor de non-verbale taal van anderen, hun heel eigen manier om rekensommen vanbuiten te leren zonder te begrijpen wat ze betekenen, hun hekel aan puzzelen, knutselen en tekenen, hun onhandigheid bij het veters strikken. Karl Baert en de NLD-vereniging willen met dit boek vooral praktische handvatten geven over hoe we kunnen omgaan met deze kinderen, thuis en in de dagelijkse klaspraktijk. Maar eerst starten ze met een heldere schets van hoe de eerste onderzoekers het NLD-syndroom omschreven en hoe we deze kinderen kunnen herkennen en onderzoeken. Want ook al is niet iedereen het erover eens, we komen in de dagelijkse praktijk toch heel wat kinderen tegen die beantwoorden aan de beschrijving zoals gegeven in dit boek. Kinderen en hun ouders en leerkrachten worden met al deze praktische inzichten en tips ongetwijfeld pedagogisch goed geholpen. En is het niet zo dat we in de praktijk vaak vooroplopen op wetenschappelijke discussies en al heel wat bereikt hebben vooraleer iets als bewezen wordt beschouwd?

Jan Bachot

Een boek over *Non-verbal Learning Disability* (NLD), daar zullen bibliothecarissen blij mee zijn! Moeten ze dat nu onder *fictie* of onder *non-fictie* klasseren? zo was mijn eerste gedachte bij het ter hand nemen van dit boek. Het is namelijk zo dat er gedurende meer dan dertig jaar erg regelmatig gevalsbeschrijvingen van en theorievormende werken over NLD in de wetenschappelijke literatuur verschijnen. Toch raken sommige neurowetenschappers en gedragsspecialisten er maar niet van overtuigd dat NLD als syndroom ook echt bestaat.

Het probleem van de erkenning van NLD als ziektebeeld komt, kort geschetst, hierop neer. Een syndroom bestaat uit verschillende symptomen. Twee syndromen kunnen één symptoom gemeenschappelijk hebben, zonder dat ze daarom samenvallen. Wanneer echter een nieuw, welomschreven syndroom kenmerken deelt met een reeds lang bekend, maar niet zo scherp afgebakend, klinisch beeld, ontstaat er verwarring. Is het nieuwe beeld een deelverzameling van het oude? Hoeveel symptomen maken het verschil? Wat zijn de kernsymptomen? Enzovoort.

Dit boek over NLD erkent dat er een symptomatische overlap is met andere leer- en ontwikkelingsstoornissen, maar doet hierover geen beslissende uitspraken. De auteurs schetsen daarentegen op treffende wijze wat Jelle, Hannelore, Lotte, Marjolein, Lisa, Elien en vele andere kinderen in bepaalde (schoolse) situaties hebben gezegd of gedaan. Hierdoor wordt duidelijk waarover het echt gaat: bepaalde vormen van menselijk gedrag (die door sommigen als 'niet normaal' kunnen worden bestempeld), waarmee men moet leren omgaan om op korte of lange termijn ernstig psychisch of fysiek lijden te voorkomen. Niet begrepen worden door leraren naar wie je opkijkt, is iets wat je jaren meedraagt. Het niet goed kunnen inschatten van een bepaalde situatie kan ervoor zorgen dat je lijfelijk gevaar loopt.

Dat de auteurs pleitbezorgers zijn voor het respectvol omgaan met mensen, blijkt verder uit hun stelling dat 'zorg op maat' niets te maken heeft met brede opsporingsprojecten en daaraan gekoppelde standaardoplossingen (steevast gebaseerd op de overtuiging dat 'het kind zich moet aanpassen'). Het komt daarentegen steeds neer op een individuele aanpak, waarin alle betrokkenen (kind-leerling, ouders, leraren, clinici, enzovoort) ervaringen en handelswijzen uitwisselen. In een boek dat bol staat van de praktijkvoorbeelden kan het natuurlijk niet anders dan dat er ook ruimschoots plaats voorzien is voor werkbare, niet-alles-helende, maar praktische tips en suggesties.

Dit alles zorgt ervoor dat dit boek stof bevat die iedereen die al dan niet professioneel met variabiliteit in het menselijk gedrag te maken heeft, zou moeten beheersen.

Prof. dr. Peter van Vugt

Wat is NLD? Het begrip NLD is als ontwikkelingsprofiel en neuropsychiatrische stoornis jonger en minder bekend dan veel andere ontwikkelingsstoornissen die gedrag en leren betreffen. Evenals bij andere ontwikkelingsstoornissen (ADHD, autisme, spraak-taalstoornissen, dyslexie en dyscalculie) hebben we bij NLD te maken met een complexe gedragswijze die in de ontwikkeling onmiskenbaar aanwezig blijkt, maar niet met biologische 'markers' gepaard gaat. Men kan de aandoening niet met laboratoriummethoden of hersenfoto's aantonen. Wel kan NLD door middel van neuropsychologisch en didactisch onderzoek bevestigd worden: het is een herkenbaar gedragsprofiel.

De volgorde in de wetenschap (van ontwikkelingsstoornissen) is altijd: symptomen zien en opmerken dat deze vaker in combinatie voorkomen, er dan een naam aan geven, vervolgens nadenken over wat de ontwikkelingsstoornis precies is, onderzoeken hoe die in de hersenen tot stand komt en ten slotte kijken wat je er aan kan doen.

Een ander aspect is de differentiële diagnostiek. Zijn er andere aandoeningen die erop lijken? Zijn er lichte, moeilijk herkenbare vormen? Kun je het bij heel jonge kinderen voorspellen?

Aan het antwoord op de vraag wat NLD neurologisch is en waarvan het gedifferentieerd moet worden, heb ik recent veel aandacht besteed (zie 'Gedragsneurologie van het kind', 2004). De vraag 'wat moet je eraan doen?' bleef tot op heden echter onbeantwoord. *Als je kind NLD heeft* legt juist hierop de nadruk, en dat is ook het belangrijkste aspect.

Karl Baert en Gudrun Vanderbeck zijn er goed in geslaagd helder en leesbaar te vertellen wat de symptomen zijn. Ze leggen duidelijk uit hoe NLD zich op school manifesteert in de verschillende aspecten van het leren en vooral wat je wel en niet moet doen met een kind met zo'n aandoening. Erg frappant vond ik hoe de auteurs in detail kunnen vertellen hoe een kind met NLD zich afwijkend gedraagt en hoe het door zijn tekortkomingen in de gestaltperceptie en in de spraaktaal niet alleen leer- maar ook sociale gedragsafwijkingen kan gaan vertonen. Boeken als deze zijn heel zinvol omdat het 'grote publiek' – ouders, leerkrachten en oudere kinderen – zo NLD als stoornis beter leert begrijpen en herkennen.

dr. Charles Njiokiktjien

INLEIDING

Sommige kinderen praten als een volwassene – je zou bijna kunnen spreken van geboren vertellers. Maar het kan gebeuren dat diezelfde kinderen vraagstukken heel moeilijk vinden en dat het rekenen wat moeizamer verloopt; ze kunnen bijvoorbeeld nog steeds niet de getallen goed onder elkaar schrijven bij het cijferrekenen. Deze kinderen zijn vaak onhandig en houterig. Waarom lukt het nooit om zonder te knoeien te eten, ook met mes en vork? En waarom kunnen ze wel het hele radionieuws navertellen – iets waar wij als ouders juist weer de grootste moeite mee hebben? Waarom hebben zij moeite om iets na te tekenen, hebben ze een hekel aan puzzelen en lukt het ze maar niet om een kasteel te bouwen met hun blokken? Waarom passen zij zich zo moeilijk aan nieuwe situaties aan en maken ze zo weinig vriendjes?

Deze kinderen staan niet alleen: vijf procent van alle kinderen heeft dezelfde problemen. Het feit dat de ouders van deze kinderen advies proberen in te winnen, betekent al dat het opvalt dat een kind het op verschillende punten moeilijk heeft. Wat voor het ene kind vanzelfsprekend is, krijgt het andere niet voor elkaar. Gedrag dat vroeger algauw ADHD, autisme of dyscalculie werd genoemd, heeft nu een naam gekregen: deze kinderen hebben NLD (*Non-verbal Learning Disabilities* of niet-verbale leerstoornissen)!

Over de biologische oorzaken van NLD is weinig meer bekend dan het vermoeden dat het gaat om een slechte samenwerking tussen de linker- en de rechterhersenhelft, met name veroorzaakt door een niet goed functionerende rechterhersenhelft.

Een kind met NLD vertoont een weerstand tegen het opnemen en verwerken van nieuwe informatie. Dit belemmert de voortgang van de ontwikkeling. Bij NLD nemen de problemen dan ook toe naarmate het kind ouder wordt. NLD wordt op school niet snel herkend omdat het kind met zijn goede verbale vaardigheden zijn omgeving vaak op het verkeerde been zet als het om zijn capaciteiten gaat. Een gevolg is dat een kind met NLD vaak veel te hoog wordt ingeschat en – vooral op school – sterk wordt overvraagd. Dit kan ernstige gevolgen hebben voor de emotionele stabiliteit. Het kan leiden tot driftbuien, extreme koppigheid en angsten. NLD kan gepaard gaan met andere, bekendere problemen zoals ADHD, ADD, visuomotorische problemen, dyscalculie en autisme.

Goed kijken hoe je kind iets doet is dan ook een waardevolle eerste stap. Maar waar moeten we op letten? En waar moeten we specifiek naar kijken? Hoe weten we wat de precieze kenmerken van NLD zijn en hoe het zich uit? En hoe kunnen we als ouders en leerkrachten zelf met het kind oefenen? Daar gaat dit boek over.

Dat er veel behoefte bestaat aan een toegankelijk boek over NLD, blijkt al uit de goede verkoop van de eerste versie van dit boek, die in 2005 op de markt kwam onder de titel *Mijn kind heeft NLD*, en die snel was uitverkocht. Aan deze tweede, herwerkte en verder uitgebreide versie heeft Gudrun Vanderbeck van de NLD-vereniging haar volle medewerking verleend. We hopen dat *Als je kind NLD heeft* op die manier nog meer het boek mag worden waaraan ouders, leerkrachten en andere begeleiders van kinderen met NLD eindelijk een stevig houvast hebben.

1 •• MIJN KIND HEEFT NLD

Over welke problemen gaat het?

Seppe is een jongen uit het tweede leerjaar of groep 4. Hij had in eerste instantie problemen in de klas met de vermenigvuldigings- en deeltafels (bijvoorbeeld 5 x 7 en 10: 2). Maar door zijn enorme verbale geheugen (hij leerde ze uit het hoofd) heeft hij daar momenteel geen moeite meer mee. In de klas kan hij zijn aandacht vaak maar een paar minuten bij de opdracht houden. Als de leraar tijdens een lesje een aantal plaatjes laat zien, kan hij deze plaatjes maar moeilijk onthouden. Ook kan hij moeilijk de hoofd- van de bijzaken onderscheiden, waardoor het erg lastig wordt om eenvoudige vraagstukjes op te lossen. Zo zal hij bij vraagstukken zonder erbij na te denken alle getallen die hij tegenkomt in de opgave willekeurig optellen, aftrekken, delen of vermenigvuldigen. Wanneer de leraar de oefeningen mondeling uitlegt, onthoudt Seppe ze beter. Seppe kan in de klas overigens opmerkelijk goed 'voordragen' (verbale expressie) en zijn technisch lezen (het correct kunnen lezen van woorden en zinnen) levert geen problemen op. Zijn handschrift is daarentegen vreselijk.

Zijn moeder maakt zich zorgen en denkt dat Seppe weleens kenmerken vertoont van kinderen met 'aandachtsproblemen'. Een vriendin van zijn moeder heeft een boek gelezen en daar staat in dat er een vorm van ADHD bestaat waarbij kinderen niet per se hyperactief zijn, namelijk ADD. Seppes moeder besluit dat hij dan vast ADD zal hebben, omdat hij toch ook vaak concentratie- en aandachtsproblemen heeft. Met deze gegevens gaat ze naar de leraar. Deze stelt voor om het centrum voor leerlingenbegeleiding of de schoolbegeleidingsdienst en het revalidatiecentrum in te schakelen om de problematiek nader te bekijken. In een eerste fase zal de leraar wat extra oefeningen geven voor rekenen en zullen de oefeningen vooral 'mondeling' worden gedaan.

Onderzoek door een multidisciplinair team wijst uit dat Seppe NLD heeft (Non-verbal Learning Disabilities).

Wouter is een jongen van 6 jaar. Hij zit in groep 3 of het eerste leerjaar bij meester Frans. In de klas vertoont hij vaak druk gedrag, maar op de speelplaats is hij teruggetrokken en hij heeft weinig vriendjes. Wanneer zijn medeleerlingen een grap vertellen, kan hij er maar moeilijk om lachen. Hij heeft de neiging om alles letterlijk te nemen. In de klas heeft hij het de eerste maanden moeilijk met het vasthouden van zijn plan. Cijfers schrijven vindt hij heel lastig. De getallen tot 20, die boven het bord hangen, kan hij nauwelijks onthouden.

Tijdens het eerste oudergesprek uit de leraar zijn bezorgdheid tegen de ouders. Zij vertellen dat Wouter thuis altijd het hoogste woord heeft en dat hij alles zo goed kan 'uitleggen' aan iedereen. Zijn oma staat steeds verbaasd te luisteren en te kijken als hij zijn versjes opzegt. De eerste schoolresultaten zijn goed voor spelling en lezen, maar bij metend rekenen (bijvoorbeeld klok kijken, omgaan met geld) en meetkunde (de begrippen recht en krom goed gebruiken) heeft hij moeite met inzichtelijke oefeningen.

De ouders van Wouter zijn ongerust over zijn rekenresultaten. De leraar vraagt aan de schoolbegeleidingsdienst of het centrum voor leerlingenbegeleiding om een intelligentieonderzoek af te nemen. Hieruit blijkt dat er een groot verschil is tussen de verbale mogelijkheden (het zogenoemde verbale IQ) en de visueel-ruimtelijke mogelijkheden (het performale IQ). Men denkt in de richting van NLD.

Lotte is 10 jaar en zit op het buitengewoon of speciaal onderwijs. Haar ouders vertellen dat de motorische ontwikkeling vrij normaal verliep. Lotte kon lopen toen ze 12 maanden was, maar bewoog zich wel houterig voort. Het aanleren van nieuwe vaardigheden zoals fietsen en met een bal gooien verliep traag en moeizaam. Lotte speelde nooit met lego of puzzels. Wat de fijne motoriek betreft, verloopt de ontwikkeling eveneens moeilijk. Zo kan ze maar moeilijk een potlood correct vast-

houden om een tekening te maken. De leraar vraagt zich af of dit soms te wijten is aan een concentratieprobleem. De taalontwikkeling verliep ook wat vertraagd. Lotte was pas vanaf haar derde jaar verstaanbaar, maar sprak toen al snel in goede zinnen. Ze heeft wel een ruime woordenschat. Wat haar karakter betreft, omschrijven de ouders haar als eigenzinnig en wat koppig. Zeker in de eerste levensjaren was ze moeilijk voor rede vatbaar en werd ze regelmatig gestraft zonder veel effect. Lotte houdt van vaste rituelen en gewoonten en heeft een vast patroon nodig. Er is wel goed oogcontact. Van de school horen we dat Lotte zwak scoorde op de tests van het centrum voor leerlingenbegeleiding of de schoolbegeleidingsdienst, vooral als het ging om ruimtelijke begrippen zoals voor, achter en naast. Ook taken waarbij dingen nagebouwd of nagetekend moesten worden, scoorden zwak. Op school speelt ze vaak alleen. Lotte is een opgewekt kind met ruime interesses. Ze heeft een goed geheugen, maar er zijn toch moeilijkheden bij het begrijpen van leeslesjes.

Uit tests blijkt dat Lotte NLD heeft.

Veel kinderen hebben moeite met inzicht, met het onderscheiden van hoofd- en bijzaken en met concentratie. Maar met Seppe, Wouter en Lotte is er duidelijk meer aan de hand.

Wat is NLD eigenlijk?

NLD staat voor Non-verbal Learning Disabilities, vertaald als nonverbale leerstoornis, en wordt gebruikt om een leerstoornis aan te duiden die niet op het verbale vlak ligt. Toch heeft een kind met NLD ook problemen die op het talige vlak liggen; in hoofdstuk 4 gaan we hier verder op in. NLD is een neuropsychologische ontwikkelingsstoornis die bij ons nog relatief onbekend is. Kinderen met NLD hebben een sterke voorkeur voor informatie die ze kunnen horen en (na)vertellen. Leren uit een boek met veel plaatjes of via een druk computerscherm vinden ze lastig. Ze zijn gericht op details en missen dan het grotere verband. Ze kunnen sociaal onhandig zijn omdat ze non-verbale signalen niet begrijpen.

Sinds kort brengen wetenschappers NLD ook in verband met een vorm van dyscalculie, namelijk met de zogenoemde visueel-ruimtelijke dyscalculie. Bij deze vorm van dyscalculie heeft het kind vooral moeite met de visueel-ruimtelijke voorstelling van wiskundige gegevens en relaties tussen die gegevens.

Julie krijgt de volgende opgave.
'Teken de gegeven bewerking. Vul de uitkomsten in.'
4 x 5 =

Dit tekent Julie		*Dit tekenen andere kinderen*			
o o	o o o	o o o	o o o	o o o	o o o
o o	o o	o o	o o	o o	o o

Uit onderzoek blijkt dat er waarschijnlijk bij tien procent van de kinderen met leerstoornissen sprake zou zijn van NLD. Anderen hebben het over 0,1 tot vijf procent van alle kinderen. Dit betekent dat op een middelgrote basisschool zo'n tien à vijftien kinderen NLD hebben.

Wat is NLD nou eigenlijk? NLD is in elk geval geen psychiatrisch probleem. Daarom staat het ook niet in de DSM-IV (*Diagnostic and statistical manual of mental disorders*) beschreven.

Over de neurologische totstandkoming van NLD is nog niet zoveel bekend. Oud en recent onderzoek naar (functionele) medische beeldvorming wijst op een niet goed functionerende rechterhersenhelft. De rechterhersenhelft heeft als taak om verbindingen te leggen. De functie van de rechterhersenhelft is te vergelijken met een netwerkstructuur (van A naar én B én C én D enzovoort).

NLD wordt gekenmerkt door een goed auditief-verbaal geheugen (als bijvoorbeeld aan het kind een woord of zin wordt voorgelezen, kan het perfect herhalen wat er is gezegd) en een sterke drang om alles steeds maar verbaal uit te leggen, vaak zonder dat het kind de betekenis van bepaalde woorden begrijpt. Kinderrijmpjes en gedichten leren en onthouden is voor hen heel makkelijk. Thuis en op school kunnen ze soms eindeloos vertellen.

De tekorten liggen vooral op het vlak van het waarnemen en het voelen (tactiele perceptie), maar ook het aanleren van nieuwe motorische vaardigheden, zoals zwemmen, fietsen of veters strikken, is moeilijk. Ook kunnen ze zich moeilijk concentreren, vooral bij taken waarbij het waarnemen een rol speelt. Het visuele geheugen is altijd zwakker dan het auditieve. Deze neuropsychologische vaardigheden en tekorten leiden tot problemen op sociaal, emotioneel en leergebied. Ze hebben onvoldoende sociale vaardigheden. De non-verbale communicatie gaat grotendeels aan hen voorbij. Kinderen met NLD kunnen vaak onvoldoende op een passende manier op een situatie reageren. Vaak zullen ze driftbuien vertonen. Ook hebben ze moeite met het flexibel omgaan met veranderende situaties.

Op leergebied blijken onder meer de technische leesvaardigheid en de spellingvaardigheid – na een soms moeizame start – later vaak van gemiddeld tot bovengemiddeld niveau te zijn. Kinderen met NLD hebben het echter moeilijk met inzichtelijk rekenen en met begrijpend lezen, en vooral vraagstukken of redactiesommen leveren problemen op. Ze hebben onvoldoende sociale vaardigheden.

De studie van NLD is nog te recent om gefundeerde uitspraken over het verband met IQ-metingen te kunnen doen. Wel is het zo dat heel wat kinderen met NLD onontdekt blijven. Ondanks de vrij ernstige beperkingen moeten we de carrièrekansen van kinderen met NLD niet onderschatten: vaak beschikken ze niet alleen over een goed ontwikkeld verbaal geheugen, maar ook over belangrijke troeven op het gebied van technische taalvaardigheid. Ze leren snel talen. Over de manier waarop NLD zich op volwassen leeftijd kan ontwikkelen, wordt meer uitleg gegeven in hoofdstuk 7.

Wat Seppe, Wouter en Lotte en alle kinderen in dit boek gemeen hebben, is dat ze anders zijn dan hun leeftijdgenootjes. Hierna gaan we verder in op de diverse problemen die zich (kunnen) voordoen bij kinderen met NLD.

Welke problemen ondervinden kinderen met NLD thuis en op school?

Problemen met zien, voelen en doen

Jorik zit in het eerste leerjaar of groep 3. Het is vrijdagmiddag en tijd voor de knutselles. De juf heeft net laten zien hoe de kinderen de figuurtjes uit moeten knippen op de lijntjes. Jorik zegt: 'Juf, mag ik er al aan beginnen?' De juf antwoordt: 'Jorik, nog even geduld, wacht nog even tot ik alles heb laten zien. Daarna mag je beginnen.' Jorik probeert de figuurtjes uit te knippen, maar hij raakt in de knoei. Het knippen gaat niet zoals hij had verwacht en eigenlijk weet hij niet meer wat hij moest uitknippen. De figuurtjes vallen op de grond. Hoe goed Jorik het ook probeert, het lukt hem maar niet om het figuurtje met de schaar goed uit te knippen. Na een paar minuten haalt hij de juf erbij. Ze pakt zijn hand vast en legt Jorik stap voor stap uit hoe hij elk figuurtje uit moet knippen.

Meester Johan heeft net aan de leerlingen van groep 8 of het zesde leerjaar laten zien hoe ze met hun passer een cirkel moeten tekenen. Hij geeft volgende opdracht: 'Teken met je passer een cirkel met een diameter van 4 centimeter.' Iedereen begint met het tekenen van de cirkel zoals meester Johan het heeft laten zien. De meeste leerlingen lukt dit probleemloos en ze hebben in een mum van tijd een mooie cirkel getekend, zoals de meester had gevraagd. David heeft wel goed opgelet, maar zijn passer valt steeds op de grond. Het lukt hem maar niet om zijn cirkel met de passer op een correcte manier te tekenen.

Pieter zit thuis aan tafel en probeert met mes en vork zijn biefstuk op te eten. Zijn moeder wordt kwaad en zegt: 'Wanneer leer je nou eindelijk eens om je mes en vork goed vast te houden en je biefstuk op de juiste manier te snijden?' Pieter barst in huilen uit.

Kinderen met NLD ondervinden problemen met voelen (het tactiele) en zien (visuele perceptie). Zo heeft Jorik moeite met enerzijds het goed vastpakken van de figuurtjes (tactiel) en anderzijds het zien waar hij de figuurtjes moet uitknippen (visueel). Het opnemen en verwerken van de informatie door te luisteren is bij het kind goed ontwikkeld, en met het ouder worden verbetert dit nog. Zo zien we bij Jorik dat wanneer de juf het stap voor stap mondeling uitlegt, hij beter begrijpt wat hij moet doen.

Wat de psychomotoriek betreft, zien we dat deze kinderen vaak onhandig zijn en problemen hebben met de fijne motoriek. Pieter en Jorik zijn hier duidelijke voorbeelden van. Hierdoor worden deze kinderen soms ook gediagnosticeerd als kinderen met dyspraxie. Ook vertonen ze vaak houterig gedrag. Door voldoende te oefenen kunnen deze kinderen uiteindelijk toch een aantal handelingen op een behoorlijk niveau uitvoeren. Dat is zeker het geval als deze handelingen kunnen worden geautomatiseerd. Enkele aspecten van de spraak en vaak geoefende vaardigheden zoals schrijven ontwikkelen zich tot een behoorlijk niveau.

Zich moeilijk kunnen concentreren

Jelle is 8 jaar. Net voor het slapengaan leest hij een verhaaltje over rovers. Na het lezen krijgt hij van zijn moeder een aantal plaatjes over het verhaal. Hij moet ze in de juiste chronologische volgorde leggen. Het lukt Jelle maar niet om de plaatjes in de juiste volgorde te leggen. Als zijn moeder het verhaal echter voorleest, kan hij het verhaal zonder problemen navertellen.

Kinderen met NLD kunnen zich goed concentreren op auditief materiaal, maar ze vertonen vaak uitgesproken aandachtsproblemen voor de tactiele en visuele inhoud. Zo blijkt dat Jelle het verhaal wel kan navertellen (auditief) wanneer zijn moeder het heeft voorgelezen, maar dat er problemen ontstaan wanneer hij de plaatjes die het verhaal illustreren in de juiste volgorde moet leggen (visueel). Deze kinderen kunnen zich moeilijk concentreren op complex, niet-verbaal materiaal, zeker wanneer dit visueel moet worden verwerkt. Door deze specifieke aandachtsproblemen worden ze vaak eerst gediagnosticeerd als kinderen met ADHD. Kinderen met NLD zullen vooral leren via de taal en het gehoor en zijn niet onmiddellijk geneigd om zich op het visuele of tactiele te richten.

Doordat ze wat onhandig zijn, zullen ze weinig onderzoekend gedrag vertonen. Ook valt het op dat deze kinderen op vrijwel geen enkele manier de omgeving verkennen.

Problemen met het visuele geheugen en de beeldvorming

Vandaag heeft Hannelore bij juffrouw Goedele gekozen voor het werken met tangrammen. De juf heeft op een blad een aantal figuurtjes getekend die Hannelore met de tangramblokjes moet leggen. Na vijf minuten geeft ze het op en gaat ze naar de juf. Ze zegt: 'Ik kan het helemaal niet. Het is veel te moeilijk.'

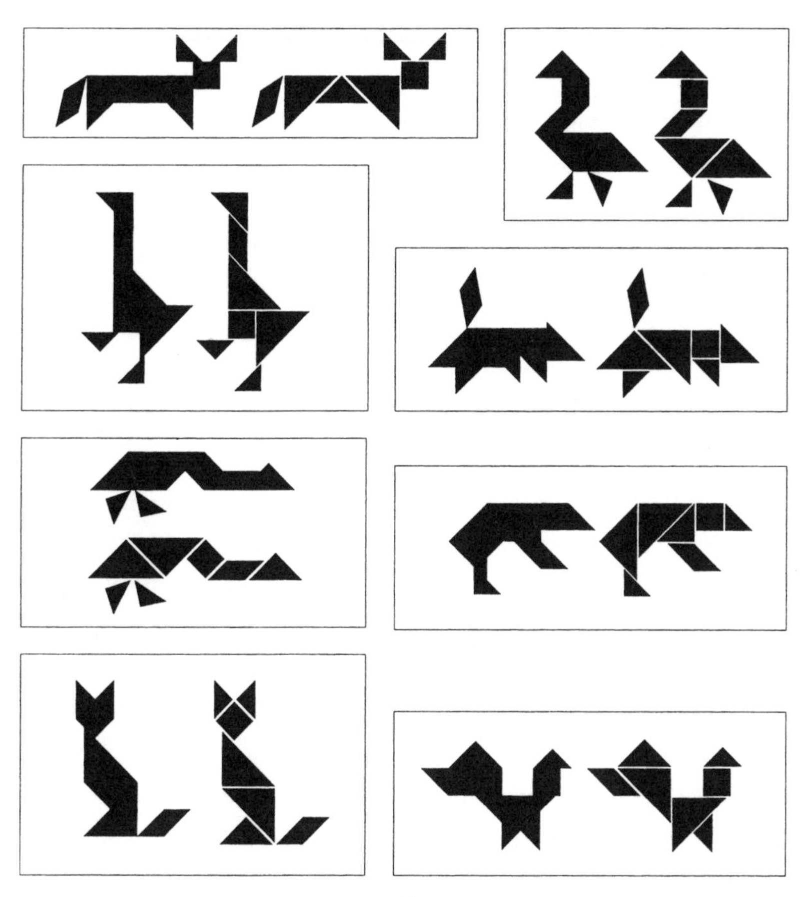

Naar: *Janssens, I. Wiskundige initiatie voor kleuters. Ruimte:* Mechelen: Wolters Plantyn

Timoty zit in groep 4 of het tweede leerjaar. Hij speelt vandaag met K'NEX, een constructiesysteem dat bestaat uit gekleurde onderdelen met onder andere verbindingsstukken, staafjes en wielen, waarmee je snel alles kunt bouwen. Timoty gaat ijverig aan het werk en probeert een auto in elkaar te knutselen. Na een kwartiertje begint hij te huilen en haalt hij er de leraar bij. Hij zegt: 'Het lukt me niet om een mooie auto te maken.'

Het waarnemen en de vaardigheid om constructies te maken is bij kinderen met NLD minder ontwikkeld. Ze hebben doorgaans moeite om in het geheel de delen te zien en een ruimtelijke figuur in zijn onderdelen te analyseren en samen te stellen. Ze falen vaak bij taken en opdrachten waarvoor ruimtelijk inzicht (zie ook bij kijken, doen en denken) wordt gevraagd.

Jordy van 6 jaar speelt een memoryspelletje. Hij heeft tien kaartjes gekregen met een afbeelding erop. De kaartjes liggen omgekeerd op de tafel. Jordy moet proberen om steeds twee dezelfde kaartjes te vinden. Jordy vindt dit erg moeilijk. Zijn vader legt de kaartjes omgekeerd, zodat Jordy de afbeelding kan zien. Nu lukt het spelletje wel.

Het visuele geheugen is bij kinderen met NLD minder ontwikkeld dan bij andere kinderen. Het visuele geheugen zorgt ervoor dat je kunt onthouden wat je ziet. Je kunt beelden en tekeningen op verschillende manieren onthouden. Als je tekeningen onthoudt, sla je niet alleen het 'beeld' in je geheugen op, maar tegelijkertijd nog een heleboel andere informatie: de grootte, de richting, de kleur, de vormen... Zo moest Jorik bij het memoryspelletje steeds twee kaartjes met dezelfde afbeelding zoeken; hij moest daarvoor een heleboel figuurkenmerken en beelden in zijn geheugen opslaan en de exacte plaats van de kaartjes onthouden. Juist deze zaken geven problemen bij kinderen met NLD. Zij hebben een goed verbaal geheugen en zullen vooral woorden makkelijk onthouden. Maar nauwkeurig waarnemen, kunnen verwoorden wat je ziet, voldoende begrippen en woorden kennen om figuren te beschrijven en zien waar iets ligt – allemaal belangrijk bij een spelletje Memory – zijn voor hen erg moeilijk.

Problemen met de tijd

Kenneth zit al in groep 6, het vierde leerjaar, en slaagt er maar niet in te leren klokkijken: staat de grote wijzer nu voor of na de 12? Ook is het behoorlijk moeilijk voor hem om in te schatten hoelang iets zal duren, bijvoorbeeld huiswerk. Elke avond raakt hij in paniek als hij aan zijn huiswerk moet beginnen en is het voor zijn moeder een hele klus om hem gerust te stellen.

Klokkijken is voor veel kinderen met NLD behoorlijk lastig: ze hebben moeite met de richting en met de positie die de wijzers en de tekens op een klok tegenover elkaar innemen. Er staat ook zoveel informatie tegelijk op. Ook het inschatten van tijd is voor hen, net als schatten in de ruimte, vaak erg moeilijk. Ze slagen er soms niet in te antwoorden op vragen als 'Welke dag is het vandaag?' of 'Hoe laat denk je dat het nu is?'.

Problemen met bepaalde taalvaardigheden

Marjolein is 8 jaar en enig kind. Elke zondag gaat ze met haar vader en moeder naar haar opa en oma. Die zijn heel trots op haar. Terwijl ze aan tafel zitten voor het avondeten mengt Marjolein zich in het gesprek en zegt: 'Oma, heb je ook de indruk dat onze maatschappij niet meer is zoals vroeger?' Oma schrikt van het taalgebruik van haar kleindochter en vraagt zich af waar ze deze manier van praten vandaan haalt.

Opmerkelijk bij de meeste kinderen met NLD is dat ze beschikken over een uitgebreide woordenschat. Ze praten vaak veel maar hebben uiteindelijk inhoudelijk weinig gezegd. Ook gaan ze vaak te pas en te onpas een gesprek aan en praten ze vaak eindeloos door. In veel gevallen zou je de indruk krijgen dat ze een gesprek voeren zoals volwassenen. Ze gebruiken vaak uitdrukkingen en termen die normaal alleen volwassenen gebruiken. Sterk ontwikkeld zijn dan ook de klanken, de verbale receptie, de mondelinge herhaling van woorden en zinnen, de verbale opslag van informatie en de verbale associatie. Door hun zogenoemde volwassen taal komen ze intelligenter over dan ze in werkelijkheid zijn. Hun intonatie, accenten, toonhoogte en lichaamstaal zijn vaak niet in overeenstemming met de inhoud van wat ze vertellen.

Sociale problemen

Kinderen met NLD slagen er meestal niet in om optimaal in groep te functioneren. Ze hebben de neiging om alles letterlijk te nemen en hebben dan ook weinig gevoel voor humor: ze zullen het erg moeilijk vinden om bijvoorbeeld een grap te begrijpen.

Quinten zit in het vierde leerjaar of groep 6. De klas heeft zojuist een rekentoets gemaakt. Tijdens de pauze zegt hij tegen zijn vrienden dat hij echt 'in de put zit'. Alex, een kind met NLD, zegt serieus: 'Ik zie nergens een put.'

Door hun beperkte probleemoplossingsvaardigheden kunnen kinderen met NLD complexe en/of nieuwe sociale situaties niet aan. Door hun omgeving worden ze echter snel overschat, wat er soms toe leidt dat ze niet beantwoorden aan de verwachtingen die de omgeving van hen heeft. We zien dan ook dat kinderen met NLD vaak op lagere onderwijsniveaus terechtkomen. Zo worden deze leerlingen vaak doorverwezen naar het buitengewoon onderwijs (Vlaanderen) of het speciaal onderwijs (Nederland). Dit kan leiden tot het ontwikkelen van gevoelens van eenzaamheid en een gebrekkig zelfvertrouwen. Wanneer ze volwassen zijn, is er meer kans op het voorkomen van depressie.

Problemen met kijken, doen en denken

Kinderen met NLD hebben vooral moeite met het visueel-ruimtelijk voorstellen van gegevens en relaties tussen die gegevens. Metend rekenen, meetkunde en toepassingen (vraagstukken of redactiesommen) zullen voor hen vaak problemen opleveren, vooral wanneer het gaat om 'inzicht'. Uit tests zal blijken dat een kind met NLD vaak een lagere performale (of ruimtelijk-visuele) dan verbale intelligentie heeft. In het performale deel komen opdrachten voor die met 'plaatjes' en het ruimtelijk-visuele te maken hebben, zoals patronen maken met blokken en puzzelen.

Kinderen moeten hierbij zelf de taken organiseren. In de meeste gevallen ziet een kind met NLD wel wat het moet doen, maar krijgt het de opdrachten niet voor elkaar. Leren zien wat er níét staat maar wat je wel moet weten om een patroon met materiaal na te kunnen maken, dus zich iets kunnen voorstellen, is een van hun problemen. De volgende oefening kan voor kinderen met NLD erg moeilijk zijn:

Hier zie je een vierhoek die gedeeltelijk achter een stuk karton verborgen is. Welke vierhoek kan dit zijn?

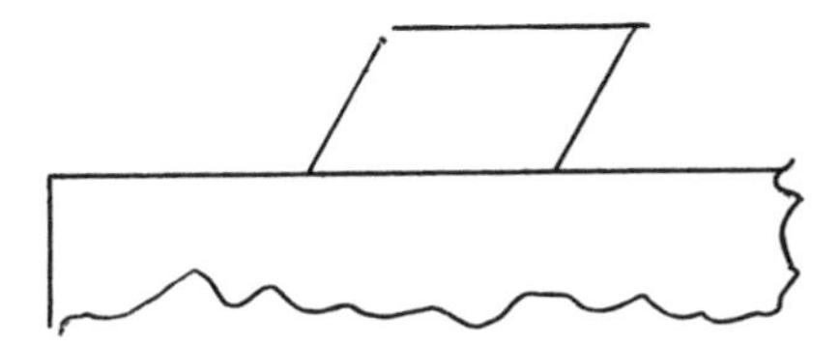

Kinderen met NLD kijken wel, maar zien de onderdelen van het patroon niet. Ze hebben vaak geen idee waar de verschillende elementen moeten komen. Een van de manieren om kinderen met zulke problemen te helpen is door gebruik te maken van hun sterke verbale mogelijkheden. Als een kind met NLD kan vertellen wat het ziet, dan krijgt het die informatie ook binnen via het horen. Juist omdat deze kinderen zichzelf horen vertellen wat ze zien, onthouden ze het beter en kunnen ze ermee leren redeneren.

Lisa, 7 jaar, vindt het moeilijk om de volgende tekening na te tekenen. Ze tekent stukje voor stukje en merkt dat de hele tekening scheef komt te staan.

Als haar moeder de tekening bekijkt, zegt ze: 'Lisa, we gaan eens per stukje kijken wat er op de tekening staat.' Lisa zegt ineens dat ze de tekening nu wel snapt. Ze tekent de tekening nu na in de volgorde waarin de deelfiguren zijn benoemd: eerst het ene stukje, dan het andere.

Problemen met wiskunde

▸▸ Visueel-ruimtelijke problemen (meetkunde en metend rekenen)

Kinderen met NLD hebben op het gebied van wiskunde blijvende problemen met de visueel-ruimtelijke voorstelling van getallen en met de ruimtelijke organisatie. In recent onderzoek (Jan Bachot, 2005) wordt dit probleem verklaard door een gebrekkig beeld in het hoofd van een goede, van links naar rechts georiënteerde getallenlijn bij kinderen met NLD. Deze kinderen leren dit niet zo vlot als andere kinderen in de loop van de eerste jaren van de basisschool, sommigen ontwikkelen zelfs een omgekeerde, van rechts naar links gerichte getallenlijn.

De volgende oefeningen zullen voor deze kinderen vaak moeilijk zijn:

– ontbrekende getallen op een getallenas invullen

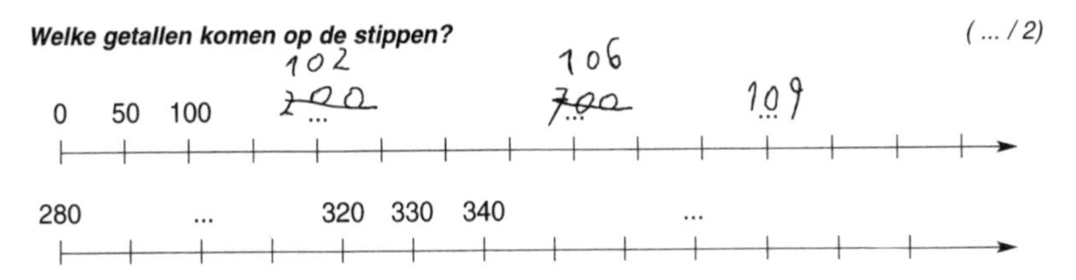

– getallen rangschikken

Rangschik. (... / 2)

276 672 762 726 627 267

... < ... < ... < ... < ... < ...

Plaats de volgende getallen op de getallenlijn:

- *het getal net voor 40*
- *het getal net na 35*
- *het getal net voor 45*
- *het getal net na 30*

30 . . . . 35 . . . . 40 45

|----|----|----|----|----|----|----|----|----|----|----|----|----|----|----|

– spiegelingen benoemen

Trek een kruis over de figuren die geen goed spiegelbeeld zijn. De rechte 's' is de spiegelas.

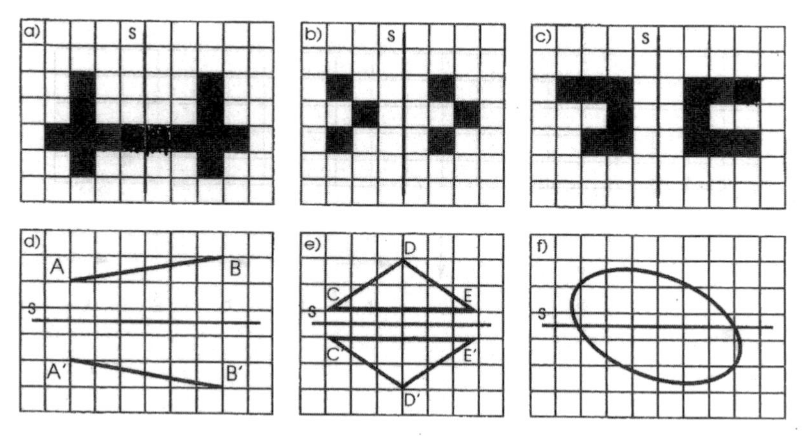

Naar: *Nieuwe Tal-rijk, Werkboek 4c,* Mechelen: Wolters Plantyn

Teken in elke figuur alle mogelijke symmetrieassen.

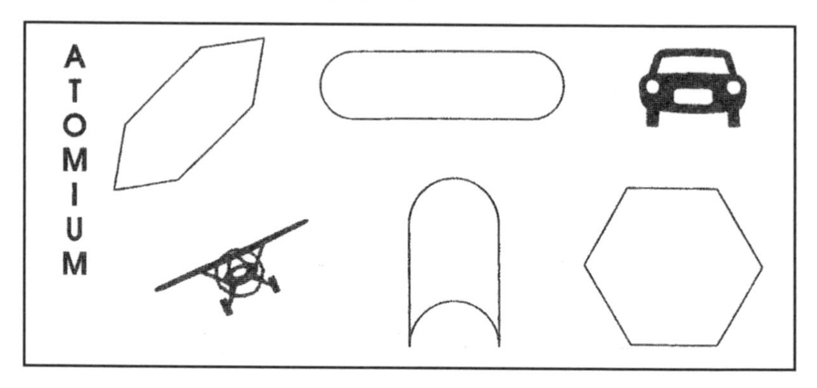

Naar: *Nieuwe Tal-rijk, Werkboek 4c,* Mechelen: Wolters Plantyn

– figuren tekenen op een rooster

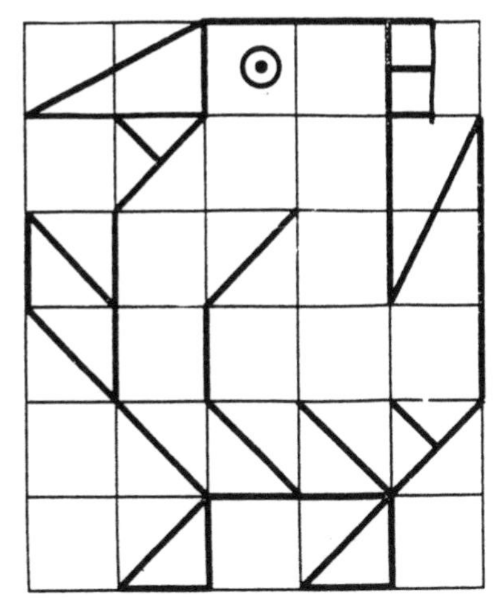

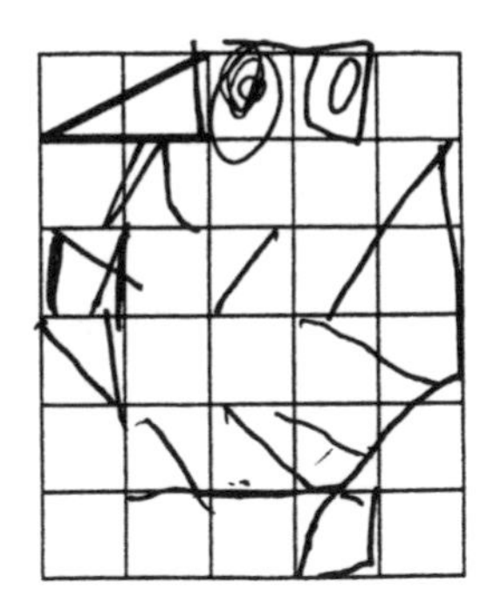

Naar: *Nascholing Meten en Metend Rekenen, Meetkunde 3ᵉ graad,* Gent: v.z.w. Pedic

– patronen herkennen en voortzetten

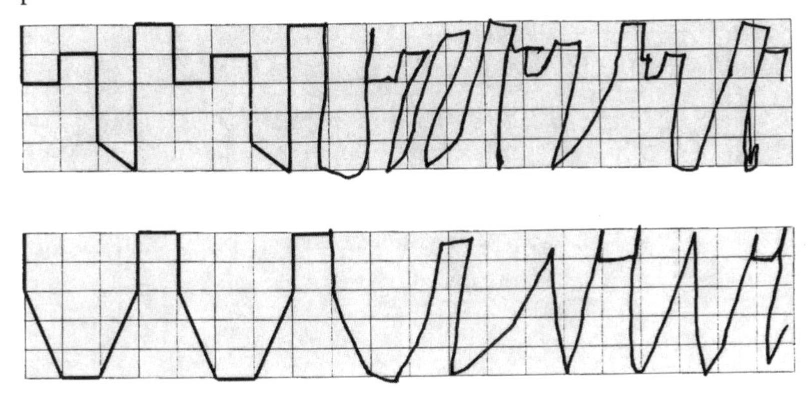

Naar: *Nascholing Meten en Metend Rekenen, Meetkunde 3ᵉ graad,* Gent: v.z.w. Pedic

– positie van een voorwerp bepalen:
Piet kijkt over het muurtje. Kleur geel wat hij achter het muurtje allemaal kan zien.

Naar: *Nieuwe Tal-rijk. Werkboek 4a.* Mechelen: Wolters Plantyn

– lengte en inhoud schatten:
Oefeningen als 'schat de inhoud van deze emmer vol water' zijn voor kinderen met NLD vaak erg moeilijk op te lossen.

Kinderen met NLD zullen eveneens moeite hebben met het goed onder elkaar zetten van getallen. Ook hebben ze problemen met het opmerken van visuele details, zoals de bewerkingstekens (+, –, × en:).

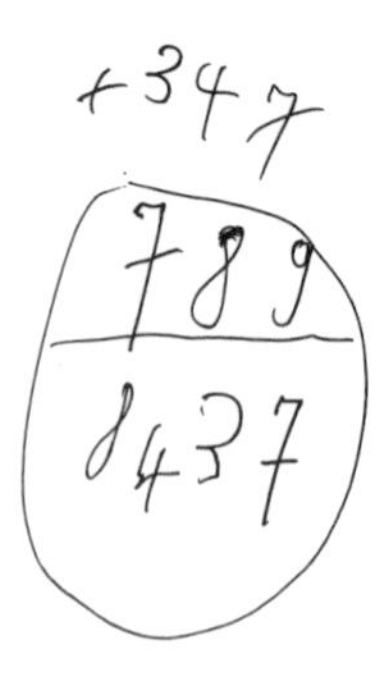

Ook het tekenen van meetkundige figuren zoals een vierkant en een driehoek levert problemen op.

▸▸ ***Rekentaalproblemen met veel tekst (vraagstukken of redactiesommen)***

Oefeningen die inzicht vergen en waarbij er geredeneerd moet worden, zullen door kinderen met NLD vaak niet begrepen worden.

Jonathan en Hannelore zijn op bezoek bij oma en opa in Dendermonde. Opa, die in 1933 geboren is en 4 jaar ouder is dan oma, vraagt aan Jonathan hoe oud zijn zusje Hannelore, die nu 5 jaar is, zal zijn als oma 70 jaar wordt.

Kort samengevat (1)

Vaardigheden/sterkten	Tekorten/zwakten
• Auditief waarnemen • Omgaan met bekend materiaal • Produceren van klanken • Mondeling begrijpen • Mondeling herhalen • Mondelinge vaardigheid • Schrijfmotoriek (op latere leeftijd) • Spellen • Letterlijk geheugen	• Visueel-ruimtelijk waarnemen • Omgaan met nieuw materiaal • Visueel onthouden • Accenten leggen, intonatie • 'Begrijpen' van zinnen • Zinnen combineren tot teksten en conversaties • Fijne motoriek • Begrijpend lezen • Wiskunde (mechanisch rekenen, vraagstukken, meetkunde, metend rekenen en inzichtelijk rekenen) • Sociaal-emotionele vaardigheden (kunnen functioneren in groep) • Aanpassen aan nieuwe situaties • Emotionele stabiliteit

(1) Deze samenvatting is gebaseerd op Rourke (1995) en Klin e.a. (1995).

NLD in relatie tot andere leer- en ontwikkelingsstoornissen

Doordat NLD steeds meer in de belangstelling komt, moeten we oppassen dat we niet achter ieder kind met een bepaalde leerstoornis een kind met NLD zien. Hetzelfde fenomeen deed zich eind jaren negentig voor met kinderen met ADHD.

Soms wordt NLD in verband gebracht met dyscalculie, taalproblemen, ADHD, aan autisme verwante stoornissen (ASS), het syndroom van Asperger, depressie, angsten en andere stoornissen. In een aantal gevallen komen diverse diagnosen samen. Bij eenzelfde kind kunnen bijvoorbeeld tegelijk NLD en Asperger voorkomen.

NLD en dyscalculie

In recente literatuur rekent men NLD tot een vorm van dyscalculie. Deskundigen onderscheiden steeds vaker verschillende vormen van dyscalculie.

- *Procedurele dyscalculie*
  Bij deze vorm van dyscalculie zien we vooral problemen met het werkgeheugen (cijferend aftrekken (837 – 99 =) en staartdelingen (196: 5 =) verlopen bijvoorbeeld moeizamer).

- *Semantische geheugendyscalculie*
  Bij deze vorm van dyscalculie zien we vooral problemen met het langetermijngeheugen (splitsingen zoals 8 = 5 + ? en tafels van vermenigvuldiging lukken bijvoorbeeld niet).

- *Getallenkennisdyscalculie*
  Hieronder vallen bijvoorbeeld lexicale of syntactische problemen.

Als huiswerk kreeg Nicolas de volgende oefeningen:

- *De helft van 120 is?*

- *Het dubbele van 35 is?*
- *92 min 15 is?*
- *Simon is 21 jaar. Zijn moeder is twee keer zo oud. Hoe oud is de moeder van Simon?*

  De vader van Nicolas probeert om alle oefeningen met materialen uit te leggen, maar het lukt niet.

Als kinderen '14' schrijven als '40', is dat een lexicale fout; als ze het schrijven als 410, is het een syntaxisfout.

In de eerste drie opgaven is de 'rekentaal' duidelijk een struikelblok voor Nicolas. In de laatste opgave is ook het juist kunnen interpreteren van de opgave een noodzaak.

▸▸ *Visueel-ruimtelijke dyscalculie*

Bij deze vorm van dyscalculie leveren vooral meetkunde en schattend rekenen problemen op, omdat kinderen vooral moeite hebben met het visueel-ruimtelijk voorstellen van wiskundige gegevens en met relaties tussen die gegevens. Zo vinden kinderen met NLD het erg moeilijk om nieuwe vaardigheden aan te leren, zeker wanneer deze een beroep doen op de visuele waarneming. Het nabouwen van blokpatronen of een al gevouwen blaadje navouwen zonder het voorbeeld aan te raken zorgen voor de nodige problemen. Ook zullen het inzichtelijk rekenen, waarbij vraagstukken met veel tekst aan bod komen, en de visueel-ruimtelijke oriëntatie (meetkunde) zwak zijn. Steeds vaker verbindt men NLD aan deze vorm van dyscalculie.

Manon krijgt de volgende opgave: bij een wielerwedstrijd starten 79 renners. Na 8 ronden geven 6 renners het op. Tijdens de laatste ronde geven nog 3 renners het op. Hoeveel renners halen de aankomst?
Manon (NLD + dyscalculie) geeft als antwoord: $79 - (8 \times 6) - 3 = 28$
Nathan (geen leerproblemen) geeft als antwoord: $(79 - 6) - 3 = 70$

Het is heel goed mogelijk dat we in het begin van het basisonderwijs (eerste en tweede leerjaar, groep 3 en 4) het omgekeerde zien, namelijk dat het rekenen vrij goed gaat, omdat het kind dankzij zijn sterk ontwikkeld auditieve geheugen de rekensommen kan herhalen, maar dat het lezen en spellen moeizamer verlopen. Naarmate het lezen en spellen worden geautomatiseerd en er een steeds groter beroep wordt gedaan op rekeninzicht, komt het typische NLD-patroon tot uiting.

NLD en taalproblemen

Hoewel de naam 'NLD' iets anders doet vermoeden, hebben kinderen met NLD wel degelijk problemen met taal. Hiervoor zijn diverse redenen. Allereerst hebben kinderen met NLD een erg uitgebreide woordenschat en kunnen ze goed vertellen. Als leerkracht en ouder verwacht je dan niet onmiddellijk dat juist deze kinderen taalproblemen hebben. Een andere belangrijke reden is dat deze leerlingen het op klassieke tests voor auditieve waarneming, auditief geheugen en taalvaardigheid vaak erg goed doen. Ook zullen deze leerlingen bij begrijpend lezen op het eerste gezicht, als er vooral reproductieve vragen (vragen waarop het antwoord vaak letterlijk in de tekst te vinden is) worden gesteld, weinig problemen hebben. Maar als de leerkracht denkvragen stelt en dus geen letterlijke vragen, zullen er zich problemen gaan voordoen met het hypothetisch denken en het leggen van oorzaak-gevolgrelaties.

Tijdens een test voor het vierde leerjaar of groep 6 krijgen de leerlingen volgende tekst met vragen:
'Onze vriendjes Hannelore en Jonathan mogen vandaag naar een verjaardagsfeestje van hun nichtje. Daar zijn veel andere kinderen. Ze spelen verstoppertje in de grote tuin. Het eten is heel lekker en de soep smaakt heerlijk. Als ze het hoofdgerecht hebben gegeten, gaan ze naar de vijver. Iedereen spartelt met zijn voeten in het water. Dat is prettig. Maar plotseling valt Hannelore in de vijver. Ze kan nog niet zwem-

men. Haar vader komt snel aangelopen en helpt haar uit het water. Gelukkig weet haar vader wat hij moet doen. Hannelore gaat met haar vader en moeder nog even naar de dokter om te zien of alles in orde is. En... ze heeft geluk. Ze mag terug naar het feest. Haar nichtje is erg blij dat ze terug is. Het feest kan weer verder gaan. Wat een avontuur. Eind goed, al goed.'

Elien, die NLD heeft, kan de volgende vragen moeilijk oplossen:

- *Welke titel past bij dit verhaaltje?*
- *In welk seizoen speelt het verhaal zich af?*
- *Hoe komt het dat Hannelore toch terug naar het feestje kan?*

Maar Elien heeft geen problemen met de volgende vragen, omdat het antwoord rechtstreeks in de tekst te vinden is:

- *Wie valt er in de vijver?*
- *Met wie gaat Hannelore naar de dokter?*
- *Wanneer gingen ze naar de vijver? Kies en kruis het juiste antwoord aan:*
  o na het hoofdgerecht
  o na het dessert
  o na het voorgerecht

NLD en ADHD

De moeder van Joris vertelt aan haar buurvrouw het volgende: 'Gisteren zijn we met Joris naar het zwembad geweest. Hij kreeg zwemles. De zwemleraar liet zien hoe je de schoolslag perfect uit moet voeren. En raad eens? Onze Joris keek voortdurend naar mij en wist uiteindelijk niet wat hij moest doen. Later duwde hij alle andere kinderen in het water. Hij moest van de zwemleraar het zwembad uit. En... nu wil hij niet meer gaan zwemmen.'

Vaak wordt bij jonge kinderen met NLD eerst ADHD als diagnose gesteld. Als kleuter zijn sommige kinderen met NLD hyperactief, waardoor ze zich in allerlei situaties kunnen storten zonder de consequenties te overzien. Bij Joris uitte zich dat door kinderen in het water te duwen. Ook kunnen ze aandachtsproblemen hebben op het gebied van het waarnemen en niet bij het luisteren, dus op één enkel ontwikkelingsgebied. Bij ADHD is er sprake van een combinatie van hyperactiviteit, impulsiviteit en een aandachtstekort dat zich voordoet op de drie ontwikkelingsgebieden voor een langere periode. De informatie die het kind met ADHD door de stoornis niet oppikt, betreft alle soorten informatie (visueel, tactiel, auditief en verbaal). De informatie die het kind met NLD mist, is vooral visueel en tactiel van aard. Hun slechte beoordelingsvermogen en hun sociaal arme vaardigheden worden ook vaak verward met impulsiviteit. Ook kan de spanning en angst – vaak kenmerkend voor kinderen met NLD – leiden tot nervositeit en overmatige beweeglijkheid. Naarmate ze (iets) ouder worden, kan dit gedrag veranderen van zeer wisselend gedrag (extreem druk of extreem teruggetrokken) in, als ze nog ouder zijn, steeds meer teruggetrokken, niet-actief gedrag.

NLD en aan autisme verwante stoornissen

De manier waarop mensen met autisme informatie verwerken, is volkomen anders dan de manier waarop de doorsneevolwassene of het doorsneekind dat doet. Het proces van selecteren gebeurt bij autisten anders. Je zou kunnen stellen dat hun filter te grote mazen heeft – of misschien juist te kleine. Of dat ze net op dat moment de verkeerde prikkels selecteren. 'Verkeerd' wordt hier bedoeld in de zin van 'onbelangrijk', niet relevant. Dit heeft tot gevolg dat bij hen na de selectie andere informatie overblijft dan bij iemand zonder autisme, ook al bevinden beiden zich in een identieke situatie: de inschatting van gebeurtenissen en relaties is voor beiden anders ingekleurd. Dus vanwege die gekleurde informatie creëren de hersenen bij mensen met autisme een andere realiteit dan bij mensen zonder autisme.

Sommige problemen die autisten hebben, komen ook voor bij kinderen met NLD:

- Problemen met het opnemen van visueel-ruimtelijke informatie.
- Voorwerpen goed herkennen op basis van de details.
- Problemen met bepaalde sommen, vooral als er ruimtelijk inzicht en oriëntatie nodig zijn.
- Onvoldoende begrip van gebaren en gelaatsuitdrukkingen van andere mensen.
  De politieagent regelt het verkeer bij de school. Dylan wil oversteken en de politieagent steekt zijn hand omhoog om het verkeer tegen te houden. Dylan zwaait terug naar de politieagent.
- Niet begrijpen dat een woord meerdere betekenissen heeft en kan wijzigen afhankelijk van de context.
  Senne gaat met zijn vader en moeder naar het museum. Een gids geeft uitleg. Aan het einde van het bezoek vraagt de gids of er nog 'vragen' zijn. Senne steekt zijn hand op en vraagt: 'Mijnheer, bent u getrouwd?'
- Een zwakke emotionele en sociale competentie hebben.
  Het is zaterdagmiddag, Victor speelt in een voetbalteam, de KALIS. Na de rust is zijn team aan de winnende hand. Wanneer de scheidsrechter de wedstrijd affluit, beginnen alle spelers van Victors team elkaar een hand te geven. Victor loopt weg en gaat naar de kleedkamer om zich om te kleden.
- Problemen hebben met het omgaan met veranderingen en nieuwe situaties.
- Het strikt letterlijk nemen van wat er wordt gezegd.
  Op een verjaardagsfeestje worden er worstjes gebakken op de barbecue. De moeder van de jarige roept: 'De worsten zijn klaar!' Alle kinderen gaan spontaan een worst halen. Uiteindelijk blijkt dat Jo geen worst heeft gegeten. Als men hem vraagt waarom hij geen worst heeft gehaald, antwoordt Jo: 'Ik hoorde wel dat de worsten klaar waren, maar ik wist niet dat we er eentje mochten komen halen.'

NLD en het syndroom van Asperger

Het syndroom van Asperger – een vorm van autisme – wordt het meest genoemd in samenhang met het NLD-syndroom. Kinderen met het syndroom van Asperger hebben een hoge verbale begaafdheid, maar opvallend veel moeite om zich sociaal in te leven en aan te passen. Ze beschikken vaak over splintervaardigheden: sommigen kunnen heel goed tekenen, anderen hebben een uitzonderlijk geheugen voor feiten zoals namen of data, weer anderen zijn een echt rekenwonder. Deze piekvaardigheden, of eilandjes van intelligentie, maken de handicap nog verwarrender en dubbelzinniger. Ze verdoezelen de achterliggende, ernstige tekorten op andere gebieden.

Hun gedrag is star, ze passen zich heel moeilijk aan. Ze functioneren niet goed in een groep en hebben een uitgesproken voorkeur voor activiteiten die ze alleen kunnen uitvoeren. Uit een reeks onderzoeken blijken grote overeenkomsten tussen kinderen met het syndroom van Asperger en kinderen met NLD. De opvallendste zijn: een grote taalvaardigheid, ernstige sociale problemen en rigiditeit en stereotiepe gedragingen.

NLD en depressie

Steffie (7 jaar) maakt een puzzel van 100 stukjes. Haar zusje, dat pas zes is geworden, maakt een soortgelijke puzzel. Na tien minuten is ze al klaar. Maar Steffie niet, zij heeft nog maar vijf stukjes kunnen leggen. Ze geeft het op en gaat op haar kamer op bed liggen. Ze huilt en zegt dat ze het nooit zal leren.

Kinderen met NLD voelen zich vaak machteloos en dit kan leiden tot depressie. Dit wordt vaak gezien bij kinderen vanaf de schoolleeftijd en houdt verband met het sociale isolement van het kind met NLD. Zo zondert Steffie zich af in plaats van haar zus om raad te vragen.

NLD en angsten

Een kind dat niet het 'hele beeld' waarneemt en in de war wordt gebracht door zijn omgeving en de interacties met anderen, en dat bovendien moeilijk kan voorspellen wat er zal komen, staat onder enorme stress. Deze stress kan leiden tot angsten. Zo kunnen kinderen met NLD onder meer lijden aan hoogtevrees. Op school zullen ze, doordat ze vaak te hoog worden ingeschat vanwege hun sterke verbale vaardigheden, angsten vertonen bij examens. Ook de angst voor een nieuwe situatie of een plotselinge verandering komt vaak voor bij kinderen met NLD. Hoewel veel angsten net zo snel verdwijnen als opkomen, blijven ze hardnekkig voortduren indien de omgeving van het kind er verkeerd of niet op reageert. Deze kinderen zullen baat hebben bij het oefenen van de sociale vaardigheden en trainingen in angstbeheersing. Ook is het nodig de familieleden en de school goed te informeren over mogelijke angsten die bij een kind met NLD kunnen voorkomen.

Dries zit in de kleuterklas of groep 2 en is een wat stille jongen. Hij huilt snel als er iets onverwachts gebeurt. Zo huilde hij vorige week heel hard toen de hele klas ineens paaseitjes mocht gaan zoeken. Hij heeft weinig vriendjes en is altijd blij als hij naar huis kan.

NLD en andere stoornissen

NLD kan een aantal overlappingen vertonen met diagnoses die afkomstig zijn uit andere disciplines, zoals de kinderpsychiatrie, de neurologie of de medische erfelijkheidsleer. Er is in de toekomst nog veel onderzoek nodig naar het verband tussen NLD en een hele reeks van dergelijke stoornissen.

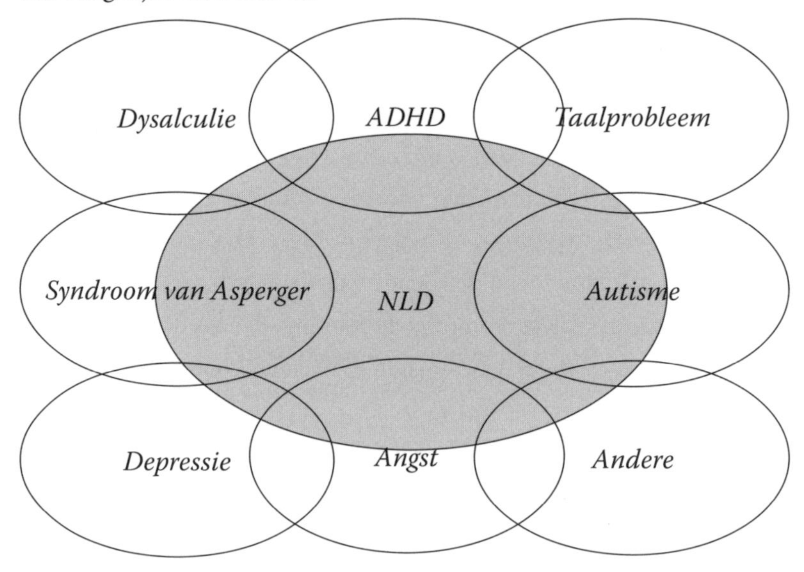

2 •• WANNEER KUN JE EEN VERMOEDEN VAN NLD HEBBEN?

Om na te gaan of er een vermoeden is van NLD, kunnen ouders en leerkrachten observeren hoe kinderen complexere motorische handelingen uitvoeren en hoe hun sociale vaardigheden ontwikkeld zijn.

Onderstaand schema maakt duidelijk welke rol iedereen kan spelen in het stellen van de diagnose NLD.

Eerste aanwijzingen	**Eerste signalen: ontdekking**	**Algemeen onderzoek**	**Gespecialiseerd onderzoek**
– ouders – kleuter-leid(st)ers – kinder-verzorg(st)ers	– ouders – leerkrachten – zorgleer-krachten – huisarts/ kinder-psychiater – centrum voor leerlingenbe-geleiding of schoolbegelei-dingsdienst	– ouders – leerkrachten – zorgleer-krachten – huisarts/ kinder-psychiater – centrum voor leerlingenbe-geleiding of schoolbegelei-dingsdienst	– neuropsycho-loog

Uit het schema blijkt duidelijk dat ouders, leerkrachten en de centra voor leerlingenbegeleiding of schoolbegeleidingsdiensten een belangrijke rol spelen.

Observatie van bepaalde typische gedragskenmerken in de klas is vaak cruciaal, omdat NLD op die manier vroeg kan worden opgespoord. Zo kan op de kleuterleeftijd (groep 1 en 2) opvallen dat kinderen knutselopdrachten, tekenen, knippen en dergelijke ontwijken of daarbij zeer rudimentair werken. Of misschien praat een kleuter oeverloos of op ongepaste momenten, en komt hij moeilijk *to the point*, of ontstaan er conflicten door het te rigide omgaan met afspraken of door onduidelijke communicatie. Bij schoolrijpheidstests scoren kinderen met NLD vooral lager dan verwacht op ruimtelijk-visueel vlak.

Op de lagere school (groepen 3 tot en met 8) vallen weer andere zaken op, zoals het zwakkere motorische aspect bij het schrijven. De inspanning om tot schrijven te komen is dan nog zeer duidelijk zichtbaar. Ook op ongepaste momenten vragen stellen en oeverloos vertellen wijzen mogelijk op NLD. Het automatiseren van splitsingen en sommen kan vertraagd zijn, maar het niet opslaan en automatiseren van getalbeelden is nauwelijks merkbaar. Er kan ook een grote weerstand ontstaan tegen het naar school gaan, maar dit zal het kind vaak thuis tonen. De rekenproblemen komen meestal pas op iets oudere leeftijd duidelijk op de voorgrond; dan blijkt pas dat ze de leerstof niet onder de knie hebben en terug moeten naar de basis.

NLD is een complex gegeven. Een leerkracht of ouder kan een vermoeden hebben, maar alleen gespecialiseerd onderzoek kan uitsluitsel geven.

Momenteel bestaan er weinig valide vragenlijsten om een vermoeden van NLD te bevestigen. Ook de verschillende deelaspecten van NLD zijn niet eenvoudig te testen.

Hierna volgt een vragenlijst[1], bedoeld om een vermoeden van visueel-ruimtelijke problemen – een deelaspect van NLD – in kaart te brengen. De leerkracht vult deze vragenlijst in.

Als het vermoeden van visueel-ruimtelijke problemen na deze test wordt bevestigd, is verder gespecialiseerd onderzoek nodig om het probleem duidelijk in kaart te brengen.

---

1 Nederlandse vertaling van de Shortened Visuospatioal Questionnaire (SVS) (Cornoldi et al., 2003) © H. Roeyers, J. Bachot en S. Verté, Universiteit Gent.

Verkorte Visuospatiële Vragenlijst (SVS)

Deze vragenlijst heeft betrekking op het in kaart brengen van visueel-ruimtelijke vaardigheden bij schoolkinderen (zes- tot twaalfjarigen). Het is de bedoeling dat u per kind van uw klas nagaat of en in welke mate er sprake is van visueel-ruimtelijke problemen. De vragenlijst bestaat uit 18 vragen die allemaal worden gescoord op een schaal van 1 tot 4. Hierbij wordt 1 gezien als de minimumscore en 4 als het maximum.

1 = nooit
2 = soms
3 = vaak
4 = heel vaak

Om de vragenlijst op een correcte manier te kunnen invullen wordt aangeraden om de vragen vooraf door te nemen en de kinderen een tijdje te observeren in de klas. Ook is het het best als men het kind vrij goed kent (minimaal drie maanden).

	1	2	3	4
1. Kan het kind gemakkelijk materiaal zoals namen, informatie en gedichten uit zijn of haar hoofd leren?				
2. Is het kind in staat om gebruik te maken van de beschikbare ruimte op het blad bij het tekenen?				
3. Kan het kind werken met materiaal dat onafhankelijk en gecoördineerd gebruik van beide handen vraagt, zoals een schaar, een tekendriehoek of een liniaal?				
4. Begrijpt het kind mondelinge instructies of teksten die betrekking hebben op ruimtelijke relaties?				

	1	2	3	4
5. Is het kind in staat om complexe alledaagse handelingen uit te voeren, zoals het knopen van schoenveters?				
6. Beschikt het kind over een goed begrip van de ruimtelijke relaties bij het rekenen en kan hij of zij de getallen correct onder elkaar schrijven?				
7. Heeft het kind een goed vermogen tot ruimtelijke oriëntatie?				
8. Kan het kind goed tekenen?				
9. Kan het kind vlot omgaan met vrienden?				
10. Heeft het kind een goed leerniveau bereikt op het gebied van taal voor zijn of haar leeftijd?				
11. Heeft het kind een goed leerniveau bereikt op het gebied van wiskunde voor zijn of haar leeftijd?				
12. Kan het kind omgaan met een leeromgeving waarin visueel-ruimtelijke vaardigheden vereist zijn?				
13. Is het kind vlug afgeleid?				
14. Is het kind vaak rusteloos of hyperactief?				
15. Is het kind een goede observator van de omgeving waarin hij of zij leeft?				
16. Toont het kind interesse in nieuwe objecten en kan hij of zij ermee omgaan?				
17. Heeft het kind goede algemene cognitieve mogelijkheden?				
18. Komt het kind uit een laag sociaal-economisch milieu?				

Tien van de achttien items (de vragen 2 tot en met 8, 12, 15 en 16) peilen de voornaamste tekorten van kinderen met een visuospatiële leerstoornis. De scores op deze tien items worden gebruikt om een visuospatiële basisscore te verkrijgen. Daarnaast zijn er twee items die de aanwezigheid nagaan van enkele andere aspecten die vaak worden geassocieerd met een visuospatiële leerstoornis, namelijk een tekort aan rekenvaardigheden (item 11) en een tekort aan interpersoonlijke vaardigheden (item 9). Twee andere items (items 13 en 14) verzamelen informatie over een eventueel samengaan met ADHD. Ten slotte zijn er vier items toegevoegd ter controle; deze verzamelen informatie over de verbale vaardigheden (items 1 en 10), de algemene cognitieve ontwikkeling (item 17) en de sociaal-economische achtergrond van het kind (item 18). Leerkrachten beoordelen de mate waarin een kind beantwoordt aan een kenmerk op een vierpuntsschaal (nooit, soms, vaak, heel vaak).

De criteria voor visuospatiële leerstoornis zijn de volgende:

1. Somscore van de visueel-ruimtelijke vragen lager dan 21.
2. Verbale somscore (item 1 en 10) boven of gelijk aan 5.
3. Geen lage algemene cognitie (vraag 17 niet gelijk aan 1).
4. Uitsluiting van kinderen uit een laag sociaal-economisch milieu (vraag 18).

De volgende tests zijn verouderd maar kunnen wel dienen voor een 'diagnostisch gesprek' waarbij de leerkracht observeert (hoe kinderen de taak aanpakken), vragen stelt (naar het waarom van die aanpak), alternatieve opgaven aanbiedt van een lagere moeilijkheidsgraad en geleidelijk meer hulp biedt om een beeld te krijgen van de instructiegevoeligheid op het visueel-ruimtelijke vlak:

- GRIPA 4 (Catteeuw & Gheskiere, 1987);
- Leuvense Schoolvorderingstest 2-6 (Stinissen e.a., 1985);
- Wiskundetoets: signaleringstoets wiskunde 5de leerjaar metend rekenen – meetkunde (Goesaert, 2000).

Toetsen meetkunde en metend rekenen uit de methoden voor wiskunde en de leerlingvolgsystemen kunnen eveneens handig zijn.

Verder kunnen ook anamnestische gegevens worden gebruikt die de ontwikkelingsgeschiedenis en de resultaten van psychologische tests peilen. Uitgebreid neuropsychologisch onderzoek kan de sterke en zwakke punten van een kind met een dergelijke stoornis aangeven. Ook is belangrijk te onderzoeken hoe de leervaardigheden zich ontwikkelen. De beoordeling van de onderzoeksgegevens moet echter altijd plaatsvinden in de context van de omgeving, voorgeschiedenis en ontwikkelingsfase van het kind.

Voordat ouders en opvoeders kunnen starten met een begeleidingsplan, is het essentieel dat er een duidelijke diagnose wordt gesteld op basis van vragenlijsten, anamnese, observatie en neuropsychologisch onderzoek. Uiteraard wordt een diagnose gesteld door specialisten in een multidisciplinair team.

Een goede diagnose heeft veel voordelen. Je weet wat je hebt of wat het kind heeft. Je krijgt zicht op hoe je de problemen kunt aanpakken. Een diagnose stellen is dus ongetwijfeld nuttig, maar ze is uiteraard niet altijd juist. Vertrouw daarom ook op je eigen kennis en ervaring. In een goed adviesgesprek wordt uitgelegd waarom de onderzoeker tot een bepaalde diagnose komt, maar durf als ouders of als leerkracht voldoende vragen te stellen. Eventueel kan ook een persoonlijkheidsonderzoek worden afgenomen. Doordat de diagnose er bij ieder kind met NLD anders uit kan zien, geldt ook hier dat die ene juiste begeleidingsmethode niet bestaat. Daarom is zorg op maat het best. De begeleiding moet gericht zijn op het voorkomen van de problemen, het toekomstig leren, het leveren van schoolprestaties, het bevorderen van de zelfstandigheid van het kind en het leren omgaan met de handicap. Deze doelstellingen kunnen worden bereikt door het volgen van een stappenplan. Dit lees je in het volgende hoofdstuk.

3 •• WAT KUNNEN WE AAN NLD DOEN?

De begeleiding van kinderen met NLD moet, zoals gezegd, op maat gebeuren. Voordat men met de begeleiding kan beginnen, is het noodzakelijk dat er een goede en uitgebreide diagnose is gesteld. Het verhaal van de ouders en leerkrachten en de observaties vormen samen met de diagnose het uitgangspunt van de begeleiding.

Om de begeleiding stap voor stap te laten verlopen, bieden we een stappenplan aan dat ouders, leerkrachten en andere begeleiders het best kunnen volgen op weg naar positieve resultaten. De eerste stap bestaat uit het opstellen van een grondige individuele analyse van het probleem. Daarna wordt er informatie over NLD voor alle betrokkenen aangeboden: de zogenaamde psycho-educatie. Vervolgens kiezen we voor een aantal pedagogisch-didactische aanpakken, die ook bij andere leerproblemen worden toegepast. Nieuw is de NLD-aanpak (Nadenken, Leren en Doen), die we ontwierpen op basis van onze jarenlange ervaring met kinderen met NLD. Vooral het 'verbale' wordt bij deze aanpak benadrukt. Ten slotte kunnen ouders en leerkrachten een keuze maken uit verdere individuele begeleiding, sociale vaardigheidstraining of het toedienen van medicatie indien NLD voorkomt samen met ADHD.

Op zoek naar begeleiding op maat: stappenplan

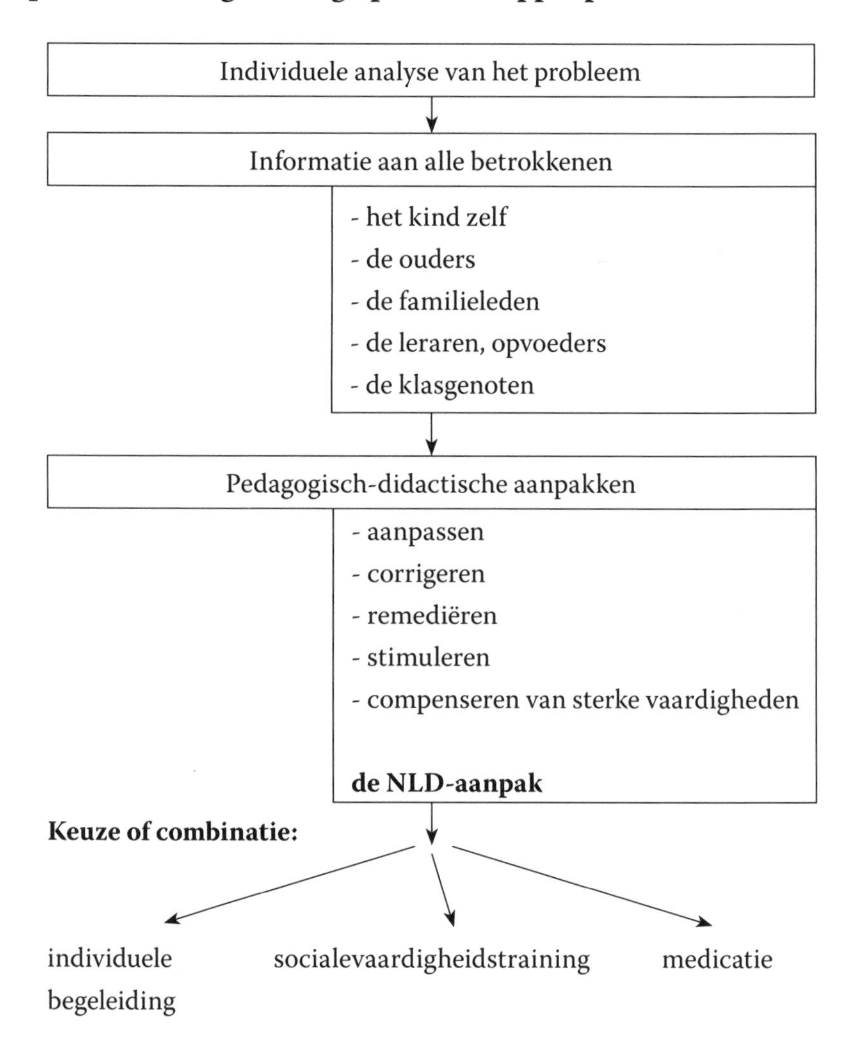

Stap 1: Individuele analyse van het probleem

Het uitgangspunt bij de begeleiding van een kind met NLD ligt in de eerste plaats bij een individuele analyse van het probleem zelf. Ieder kind is immers uniek en het gedrag staat in relatie met de omgeving. Een kind met NLD in een rustige klas met een begripvolle leerkracht vertoont weinig sociale problemen en kan voldoende aandacht opbrengen. Hetzelfde kind in een drukke klas waar ook gepest wordt, heeft het al heel wat moeilijker, zal snel slachtoffer worden van pesterijen en kan niet meer goed opletten. Toch is in beide gevallen al de volledig eigen manier van het verwerken van de leerstof aanwezig: het kind zal minder letten op visuele kenmerken en vooral luisteren naar wat wordt gezegd. Dit kan leiden tot latere problemen met wiskunde. Daarom start dit stappenplan met een individuele analyse van het probleem zelf. Let wel: de individuele analyse is het uitgangspunt, niet het syndroom.

Stap 2: Informatie aan alle betrokkenen

Voor ouders, leerkrachten, opvoeders, familieleden en het kind zelf is het belangrijk dat iedereen goed geïnformeerd is over wat NLD precies inhoudt. Dit is nodig om te voorkomen dat het kind overvraagd wordt, waardoor er gemakkelijk gedragsproblemen zoals angst, driftbuien of koppigheid kunnen ontstaan. Een gedegen kennis van NLD is het startpunt van een goede aanpak. Het is voor ouders een grote opluchting wanneer ze een goed en nauwkeurig beeld hebben gekregen van de aard van de tekorten en de wijze waarop deze het functioneren van het kind beïnvloeden. Ouders zullen dagelijkse gebeurtenissen beter kunnen plaatsen en beter bepaalde verbanden leggen.

Wout is een kind met NLD. Op woensdagmiddag gaat hij naar het verjaardagsfeestje bij Michiel. Na het eten van de pannenkoeken gaan ze de tuin in om te voetballen. Wout probeert zijn schoenen aan te trekken maar het lukt hem niet om de veters dicht te doen. De moeder van Michiel weet dat Wout NLD heeft en gaat Wout ongemerkt even helpen.

Uit onderzoek blijkt dat ouders verschillend reageren op hun kind met NLD. Palombo en Berenberg (1997) onderscheiden enkele mogelijke ouder-kindinteracties. Enerzijds zijn er de gevoelige ouders die een sterke affectieve band hebben met hun kind en allerlei aanpassingen ontwikkelen om de tekorten aan te vullen. Een mogelijk gevaar bij deze houding is dat deze kinderen te afhankelijk worden van hun ouders. Soms lijkt het wel op een symbiose: het kind en de ouders willen elkaar niets in de weg leggen. Anderzijds zijn er ouders die de afhankelijkheid vrezen en het kind aansporen tot zelfstandigheid. Deze ouders raken echter snel gefrustreerd omdat ze voortdurend moeten corrigeren, inperken of straffen. Vaak zal het kind antwoorden met woedeaanvallen en protest. Beide houdingen leiden ertoe dat ouders zich niet meer zeker voelen over hun manier van opvoeden en zich nog meer vragen gaan stellen. Ook gaan ze zich nog geïsoleerder voelen dan vroeger.

Het is donderdag 15.00 uur. De moeder van Ruben (kind met NLD, 11 jaar oud) maakt zich klaar om 'Rubentje' (zo noemen zijn ouders hem) van school te halen. Ruben woont maar 500 meter van de school en de buurt is heel veilig. Om naar huis te gaan hoeft Ruben maar één straat over te steken. Dit gebeurt altijd onder het waakzame oog van politieagent André. Toch vertrouwt de moeder van Ruben het niet om hem alleen naar huis te laten komen. Ruben is hier allesbehalve gelukkig mee; hij voelt zich uitgelachen en barst soms uit in woede.

Rita, een buurvrouw van Ruben, heeft daarentegen het volle vertrouwen in haar drie kinderen Jens (9 jaar), Arno (8 jaar) en Silke (7 jaar): zij mogen alleen naar huis komen. Rita gaat ervan uit dat het geven van zelfstandigheid aan haar kinderen geen kwaad kan.

Om dit dilemma op te lossen is het belangrijk de diagnose zo vroeg mogelijk te stellen. Testonderzoek is echter pas mogelijk vanaf de leeftijd van drie jaar. Bachot en König (2001) raden vanuit hun klinische ervaring aan om de sterke band tussen kind en ouders te laten bestaan tot het mogelijk wordt de tekorten goed in kaart te brengen. Niet alleen de ouders moeten informatie krijgen, maar ook het kind moet weten wat er aan de hand is, zodat hij zijn toestand beter kan begrijpen. De uitleg aan het kind kan het best concreet worden gegeven. Ook de andere leden van het gezin moeten tijdens deze uitleg aanwezig zijn. Ten slotte moeten de school en andere begeleiders van het kind bijzondere aandacht krijgen.

Stap 3: De aanpak thuis en op school

Na de informatieverstrekking aan alle betrokkenen volgen pedagogisch-didactische aanpakken waarin aanpassen, corrigeren, remediëren, stimuleren en compenseren met vaardigheden waarin het kind sterk is de rode draad vormen. Pedagogisch-didactisch ingrijpen blijkt effectief te zijn bij de behandeling van kinderen met NLD. Het systeem kan zowel thuis als op school worden toegepast.

▸▸ *Aanpassen*

Vaak is het aanpassen van de omgeving aan de specifieke kwetsbaarheid van het kind met NLD een eerste vereiste. Het kind met NLD voelt zich goed in vertellen en verwerkt vooral die informatie die voor hem bekend en geautomatiseerd is. Daarom is het belangrijk een beroep te doen op deze sterke vaardigheden om de zwakke te compenseren.

Nathan is 8 jaar. Hij kent het schoolgebouw heel goed. Hij mag van de juf een boodschap overbrengen aan de directeur. De juf weet van de ouders van Nathan dat hij het heel goed kan uitleggen, maar dat hij bang is om met anderen contacten te leggen.

Door de sterke verbale kwaliteiten van Nathan te benadrukken compenseert men eigenlijk zijn zwakke vaardigheden, namelijk het leggen van contacten. Ook kunnen ouders en leerkrachten de vaardigheden trainen waarin het kind tekortschiet. Bij het aanpassen van de omgeving zullen ze op zoek gaan naar hulpmiddelen of methoden die de gevolgen van de stoornissen verlichten, zodat het makkelijker is voor het kind om met bepaalde situaties om te gaan.

Hulp bij het bieden van structuur

Een kind met NLD houdt niet van veranderingen. Zijn leven ziet er dan ook liefst zo voorspelbaar mogelijk uit. Als er zich toch veranderingen voordoen in de routine, moeten deze goed worden voorbereid en besproken met het kind.

Ook het aanbrengen van structuur is van belang. Structuur maakt overzicht, ordening en planning mogelijk en geeft daardoor zekerheid en rust. Structuur bieden heeft tot doel dat het kind met NLD zich voldoende staande kan houden in de wereld: hij kan compenseren. Het streefdoel is de als chaotisch, verwarrend, overweldigend of bedreigend overkomende wereld hanteerbaar, of in elk geval hanteerbaarder te maken. Voor kinderen met NLD is het nodig dat hun dagelijkse bezigheden in duidelijke stukken uiteengerafeld worden, zodat ze herkenbaar en daardoor ook hanteerbaar worden. Een kind met NLD moet duidelijk weten wat er mag en niet mag. Om de duidelijkheid en ordening (structuur) in het dagelijks leven op school en thuis te bevorderen, kan een zogenoemd 'dagritmepakket' nuttig zijn. Dit pakket bestaat uit kaarten die elk een moment van de dag voorstellen. Ze kunnen als een blijvende geheugensteun aan de muur van het klaslokaal worden opgehangen. Het dagritmepakket maakt kinderen vertrouwd met het gebeuren op school en thuis, ze kunnen zien wat er gaat gebeuren. Op internet staan heel wat praktische en leuke voorbeelden van dagritmepakketten.

Naast het dagritmepakket zijn er nog veel andere mogelijkheden om voor kinderen structuur in het schoolgebeuren aan te brengen: vaste rituelen bij het opruimen, duidelijke opdrachten enzovoort.

De opdrachten die aan kinderen met NLD worden gegeven, moeten direct en duidelijk zijn. We illustreren dit aan de hand van twee voorbeelden. Wat links in het kader hieronder staat, is goed voor het kind met NLD, wat rechts staat minder goed.

De leerkracht geeft volgende opdracht:

Neem je taalboek op blz. 7. Kijk naar oefening 2. Lees deze oefening aandachtig. Onderstreep in de zinnen het onderwerp twee keer.	*Als jullie nou eens goed opletten en luisteren, vertel ik jullie op welke bladzijde je je boek moet openslaan en welke oefeningen je af moet hebben aan het einde van de les. Pak je taalboek en kijk naar hoofdstuk 2, op de bladzijde waar je al die gele kleurtjes bovenaan ziet en waar zinnen staan waarvan gevraagd wordt om het onderwerp erin aan te duiden. Die oefening mag je nu gaan maken.*

HULP BIJ OPDRACHTEN WAARVOOR INZICHT NODIG IS

Voor kinderen met NLD zijn realistische rekenmethoden een moeilijke klus. Ook bladzijden met visueel-ruimtelijke problemen (een pagina met veel tekeningen en grafieken bijvoorbeeld) vormen een probleem. Daarom kun je er als leraar het best voor zorgen dat kinderen met NLD zo veel mogelijk oefeningen krijgen aangeboden waarbij de visuele weergave en de motorische productie van bijvoorbeeld de som (het juist onder elkaar schrijven van een som) geen belemmering vormen.

Zo is het goed

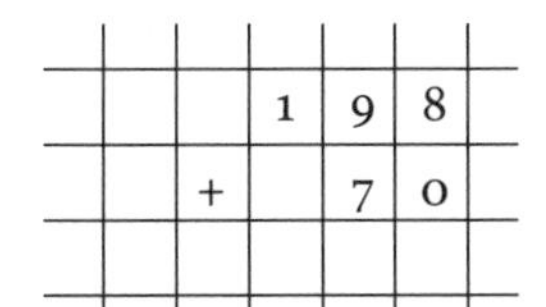

Dit brengt verwarring

198
70
+ ———

CORRIGEREN

In deze fase kun je de basisvoorwaarden verbeteren die nodig zijn bij het leren van vaardigheden:

- Structureer de systematische aanpak.
- Bied veel verbale ondersteuning aan door het stap voor stap aanbieden van instructie en feedback.

- Geef stappenplannen en kijkwijzers.
- Zorg ook voor maximale voorspelbaarheid.
- Laat verbale communicatie plaatsvinden door eenduidige, concrete taal, zonder niet-verbale 'versiersels' en/of afleiders.
- Respecteer het routinematige gedrag van het kind.

▸▸ Remediëren

Jonas zit in groep 4 of het tweede leerjaar en heeft bij het schrijven van het cijfer '6' problemen met de juiste schrijfrichting. Hij schrijft het cijfer '6' telkens als volgt:

38 + 24 = ∂2
91 − 1∂ = 7+5

De andere cijfers leveren weinig of geen problemen op.
Bij het remediëren proberen we ervoor te zorgen dat Jonas die fout in de toekomst niet meer maakt.
Wanneer Jonas deze vaardigheid heeft geautomatiseerd, kan de leerkracht verder gaan.

Wout zit in het eerste leerjaar of groep 3 en heeft problemen met de overbrugging van de tien.
Oefeningen zoals 8 + 7 =?, 9 + 3 =?, 14 − 6 =? en 12 − 4 =? leveren veel problemen op.

Omdat een kind met NLD er moeite mee heeft het geheel te overzien, moet het geheel in delen worden opgedeeld zodat het kind het kan begrijpen.

Belangrijk is ook om niet eindeloos te remediëren. Dit ondermijnt het zelfvertrouwen van het kind, waarna het leren stagneert. Als het na herhaaldelijk oefenen en remediëren nog niet lukt, kunnen eventueel hulpmiddelen worden ingeschakeld.

Hulp bij het isoleren
De moeder van Jonas heeft de letter 6 in piepschuim uitgeknipt. Jonas mag eerst de 6 voelen. Dan zegt zijn moeder hardop: 'Kijk en luister goed, Jonas. De 6 schrijven we als volgt: we beginnen bij het streepje bovenaan en gaan naar links. We maken een boogje zoals we een O zouden schrijven. Halverwege stoppen we en draaien we terug naar links.' Jonas probeert dit op een blaadje terwijl hij het hardop nazegt.

In deze fase ontwikkelen kinderen ook het tactiele, waar Jonas niet zo sterk in is.

Op langere termijn moet je controleren of het kind het aangeleerde ook in andere situaties kan toepassen.

De vader van Wout helpt hem met de volgende oefening: 'Hoeveel is 8 + 5? 8 + 5 gaat niet in één keer. Ik moet splitsen. Hoe? Ik moet eerst kijken hoeveel ik bij de 8 moet doen om 10 te krijgen: 2. Dus splits ik de 5 in 2 en in... 3. Na het splitsen doe ik er eerst de 2 bij en dan krijg ik 10. Daarna doe ik er de 3 bij en krijg ik 13. Dus 8 + 5 = 13.'

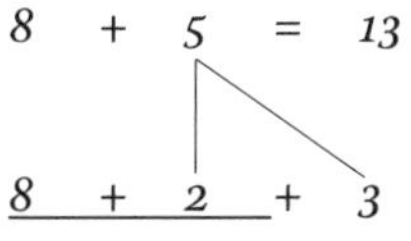

8 + 5 = 13

8 + 2 + 3

Bij het isoleren zal de leerkracht eerst aangeven welke zaken van belang zijn en waar de leerling op moet letten. Bij het oriënteren moet het kind zichzelf, afhankelijk van zijn leeftijd, de volgende vragen stellen:

- Wat moet ik doen?
- Waarom? Waar moet ik op letten?
- Hoe kan ik weten of de uitkomst goed is?
- Is de weg die ik nu volg wel de juiste?

- Ben ik geen stap vergeten?

Voordat een deelvaardigheid geautomatiseerd raakt, is er bij de meeste kinderen met NLD veel herhaling nodig.

Herhalen

Jonas moet elke avond een aantal keren het cijfer 6 correct schrijven terwijl hij mondeling zegt hoe hij het doet. Eerst zijn er nog de stippellijntjes als hulpmiddel.

Elke dag als zijn vader thuiskomt, krijgt Wout een aantal oefeningen zoals 9 + 3 en 7 + 7. Elk stapje moet Wout uitleggen.

Als er één leerprincipe is dat al van oudsher wordt toegepast, dan is het het herhalingsprincipe. Zodra een kind met NLD iets heeft geleerd, moet het worden herhaald. Ook is het van belang dat deze herhaling op vaste tijdstippen gebeurt. Daarom pleiten we voor het aanleren van handige en herkenbare strategieën die voldoende en met steeds dezelfde verbale ondersteuning worden herhaald.

Als het kind met NLD langzaam een bepaald probleem overwint, kun je gaan verkorten en versnellen.

Verkorten en versnellen

Wout moet leren om de verschillende stappen sneller uit te voeren. Hij gaat minder gebruikmaken van de verschillende tussenstappen. Bij rekenen met MAB/materiaal kan dit bijvoorbeeld als volgt gaan: eerst werkt hij met het MAB-materiaal (blokjes en staafjes), dan doet hij alsof hij het materiaal bij zich heeft (bijvoorbeeld denken aan materiaal), vervolgens zet hij strepen en punten op papier om het startgetal te tekenen (eventueel noteert hij tussenuitkomsten) en ten slotte lijkt hij de uitkomst zo te weten.

Identificeren

Identificeren is een vrij nieuw leerprincipe. Het is leren ontdekken wanneer het aangeleerde moet worden toegepast.

Hulp bij het integreren

Als het kind heeft leren identificeren en apart heeft geoefend, probeer je samen met hem geïntegreerd te oefenen. Integratie betekent dat het kind oefeningen maakt waarin verschillende moeilijkheden samen voorkomen. Meestal gaat het hier om oefeningen die kinderen zelfstandig kunnen uitvoeren.

Jonas mag nu de volgende oefening maken.
Hier zijn enkele cijfers. Steeds als je het cijfer 6 ziet, mag je het groen kleuren:
8 – 9 – 6 – 16 – 25 – 66 – 74 – 60

Wout kan nu de verschillende bewerkingen tot 20 snel oplossen. Hij krijgt de volgende reeks oefeningen door elkaar aangeboden:

8 + 9 =?	4 + 8 =?
13 – 2 =?	8 + 6 =?
7 + 7 =?	15 + 2 =?
13 + 7 =?	18 + 2 =?
6 + 8 =?	9 + 3 =?
4 + 8 =?	12 + 8 =?
5 + 5 =?	6 + 5 =?
9 + 2 =?	8 +? = 10
9 +? = 10	9 + 5 =?
7 + 8 =?	8 + 6 =?

Hulp bij het generaliseren

Na het isoleren en het integreren kom je uiteindelijk bij het generaliseren. Hier worden verbanden gelegd met zaken die buiten de context en de inhoud van het bijsturen liggen. Eigenlijk liggen integreren en generaliseren in elkaars verlengde.

Tijdens de ouderavond heeft de leerkracht met de ouders van Jonas afgesproken dat zijn moeder elke avond de schoolagenda van Jonas bekijkt en de leerkracht informeert als Jonas het cijfer 6 fout blijft schrijven.

▸▸ *Stimuleren*

Met stimuleren proberen we de motivatie en het plezier op school te vergroten. De meeste kinderen hebben een antenne voor wat wel en niet kan. Bij een kind met NLD ontbreekt die antenne. Het kind zal dan ook vaak lastig doen wanneer hij een sociale situatie niet aankan of niet onder controle heeft. Daarom is het nodig dat je hem als ouders/leerkracht regels aanleert over sociale situaties en hem duidelijk leert wat kan en wat niet.

Quinten zit in groep 3 of het eerste leerjaar. Bij het hardop lezen van een klasgenoot heeft hij al een paar keer rare geluiden gemaakt. De juffrouw heeft al non-verbale opmerkingen tegen hem gemaakt, maar toch gaat Quinten door. De juf geraakt geïrriteerd en geeft Quinten een standje. Quinten heeft blijkbaar de non-verbale tekens niet goed kunnen inschatten en verkeerd en/of niet helemaal geïnterpreteerd.

Het motiveren van een kind is zéér belangrijk. Kinderen met NLD voelen hun probleem heel sterk aan en dit heeft gevolgen voor hun zelfbeeld. Veel ouders van kinderen met NLD zullen de volgende uitspraak van Jo wel herkennen: 'Ik kan niets, ik ben dom.' En dit terwijl Jo momenteel geen zichtbare leerproblemen heeft.

Het is van groot belang om het kind de mogelijkheid te geven om ook zijn sterke kanten in de klas te laten zien. Probeer een kind ook zo vaak mogelijk te belonen. Zelfs al is het schrift een knoeiboel, zie toch de inspanning die het kind heeft gedaan en beloon hem voor die volgehouden inspanning. Vaak zijn kinderen met NLD degenen die nooit een 'goed' punt halen en die op school nooit een complimentje krijgen. Ook al bekrachtig je als leerkracht dan niet het negatieve, nooit het positieve bevestigen is rampzalig voor een kind.

▸▸ *Compenseren met vaardigheden waar het kind sterk in is: de NLD-aanpak*

Bij de begeleiding van NLD-kinderen kan men zich ook richten op het benutten van de sterke kanten van het kind ter ondersteuning van specifieke stoornissen. Bij kinderen met NLD is het goed om gebruik te maken van hun verbale vaardigheden, maar trap niet in de valkuil van de eindeloze discussies die deze kinderen kunnen voeren. Doordat ze verbaal sterk zijn, proberen ze al pratend greep te krijgen op de situatie, wat hen belemmert om echt iets aan de situatie te gaan doen. Gebruik wel hun goede taalvaardigheid om ze te leren hun eigen gedrag te organiseren. Op de meeste scholen gebruikt men de zelfinstructiemethode van Meichenbaum of de 'berenaanpak'. Wij pleiten voor een eigen aanpak, de NLD-aanpak.

Voorbereiding voor de NLD-aanpak

Ouders en leerkrachten zullen bij de NLD-aanpak in eerste instantie vooral een beroep doen op de sterke verbale vaardigheden van het kind. Daarna kunnen ze stap voor stap de visuele voorstellingen koppelen aan het verbale (visualiseren). Hierbij is het heel belangrijk dat de begeleiders (ouders, leerkrachten) model staan en zelf eerst verwoorden wat ze straks van het kind verwachten.

Dit kan als voorbereiding van de NLD-aanpak gebeuren door middel van het 'model-leren' in vijf stappen:[2]

1. voordoen 2. 'samen' samendoen 3. 'afzonderlijk' samendoen 4. hoorbaar nadoen 5. onhoorbaar nadoen

1. Voordoen: de begeleider doet de te leren taak voor terwijl hij hardop tegen zichzelf praat, precies op de manier zoals het kind de taak ook kan uitvoeren. De oplossingsstrategie om de taak goed op te lossen, wordt dus voorgetoond in woord en daad. Het kind observeert en luistert goed.
2. 'Samen' samendoen: de begeleider en het kind voeren de taak naast elkaar uit, ieder voor zich, tegelijkertijd. Beiden verrichten de juiste handelingen en verwoorden de oplossingsstrategie hardop. Het kind volgt de begeleider op de voet en neemt zo de handelingen en de oplossingsstrategie stapsgewijs over. Het voordoen wordt steeds meer afgezwakt, terwijl tegelijkertijd het nadoen wordt versterkt.
3. 'Afzonderlijk' samendoen: het kind voert de taak uit door de handelingen te verrichten en de oplossingsstrategie te verwoorden. De begeleider voert de handelingen ook uit, maar dan meer voor zichzelf. Het kind kan eventueel nog terugvallen op zijn steun.
4. Hoorbaar nadoen: het kind voert de taak zelfstandig uit. De oplossingsstrategie wordt hoorbaar gefluisterd. Het verwoorden gaat steeds kernachtiger.

2 Van Luit, J.E.H. (1995). Rekenen. In J.E.H. Van Luit & A. Meijer (Red.), *Onderwijs aan kinderen met een leerachterstand* (pp. 199-223). Baarn: Intro.

5. Onhoorbaar nadoen: het kind voert de taak uit terwijl het hooguit in kernwoorden en in zichzelf praat. De instructie is zelfinstructie geworden. Het kind verwoordt de verbale instructies nu als het ware onhoorbaar in zichzelf.

Kirsten krijgt volgende opdracht:
Trek af: 873 min 799. De begeleider schrijft de getallen mooi onder elkaar:

```
   873
   799
+ ____
  .....
```

De begeleider zegt: 'Om 873 te verminderen met 799 schrijf ik de getallen mooi onder elkaar. Eenheden bij eenheden, tientallen bij tientallen en honderdtallen bij honderdtallen. Ik begin bij de eenheid 3: 3 min 9 gaat niet, dus ik moet gaan lenen bij de tientallen, bij de 7. Ik leen 1 T en voeg die bij de 3. De 7 wordt 6 en de 3 wordt 13. 13 min 9 is 4. Ik schrijf de 4. Ik ga naar de kolom van de tientallen: 6 min 9 gaat niet, dus ik moet gaan lenen bij de honderdtallen. De 8 wordt een 7 en de 6 wordt 16. 16 min 9 is 7. Ik schrijf de 7. Ik ga naar de kolom van de honderdtallen. 7 min 7 is 0. De nul hoef ik niet meer te schrijven. Mijn uitkomst is 74.'

Kirsten volgt eerst goed mee hoe je zo'n oefening maakt (1). Daarna zegt en doet ze samen met de begeleider de verschillende stapjes (2). Daarna maakt Kirsten een oefening terwijl ze verwoordt wat ze doet en ze noteert de stappen terwijl de begeleider op een eigen blad of bord mee schrijft. Dan maakt Kirsten alleen een oefening en ondersteunt ze zichzelf verbaal (4), waarna ze ten slotte volledig zelfstandig de oefeningen maakt.

Als het kind voldoende heeft geoefend met deze stapjes, kun je starten met de NLD-aanpak (Baert, 2005).

De NLD-aanpak

Om het denkproces van het kind met NLD te kunnen sturen, wordt bij de NLD-aanpak vooral 'taal' gebruikt om de drie stappen (Nadenken, Leren, Doen) te ondersteunen. Als hulpmiddel wordt bij elke stap een 'eenvoudige' en vlug 'herkenbare' tekening gebruikt.

Joris krijgt de volgende oefening:
Jonathan wil een toren bouwen met 15 blokken. In het midden van de toren komt 1 groter blok en daarnaast, aan elke kant, afwisselend 3 blauwe blokken en 1 rood blok. Hoeveel blauwe en hoeveel rode blokken heeft Jonathan nodig om zijn toren te bouwen?

N = NADENKEN

Als de leerkracht of een van de ouders de opdracht heeft gegeven, gaat het kind zich afvragen wat hij moet doen. Bespreek de situatie met het kind, zodat het probleem duidelijk is. Stel zo veel mogelijk vragen. Laat het kind verwoorden wat er wordt gevraagd. In deze eerste stap analyseert het kind de opgave om de probleemsituatie goed te begrijpen. Hij maakt zich een goede voorstelling van het probleem. Waar gaat het over? Wat weet ik al? Wat moet ik zoeken? Hij zal dit al gewend zijn als hij voldoende heeft geoefend met de voorbereidende aanpak.

De moeder van Joris stelt volgende vragen: 'Wie wil er een toren maken? Hoe zijn de blokken geplaatst?'

Na het nadenken volgt het proces van 'leren'.

L = LEREN

Bij deze stap gaat het kind actief leren. Wie leert, slaat niet zomaar informatie op, maar hij bewerkt die ook. Dat wil zeggen: hij analyseert de informatie, past die in in wat hij al weet of kan, hij brengt de informatie in verband met andere gegevens, hij beoordeelt, herhaalt of oefent, hij past de informatie toe in verschillende situaties. Ieder kind kan beter leren denken als hij daarbij wordt geholpen. Zo kunnen ouders en leerkrachten het kind bijvoorbeeld leren hoe hij iets kan doen. Je kunt voorstellen dat hij bijvoorbeeld bij een moeilijke opgave een tekening maakt. Dit houdt in dat het kind op basis van informatie die hij uit de tekst haalt of via een verhaal heeft gehoord een aanschouwelijke voorstelling probeert te maken van de probleemsituatie in de vorm van een schets, tabel of tekening. Voor kinderen met NLD is dit een belangrijke fase, aangezien ze niet sterk zijn in dit soort dingen. Zo'n schets, tabel of tekening kan vaak helpen om de relaties tussen de bekende en de onbekende elementen uit een aangeboden opgave te doorzien. Indien zo'n schets, tabel of tekening duidelijk is, kan dit vaak meteen tot de oplossing van het probleem leiden. Het kind denkt na over de oplossingsstrategie en maakt een oplossingsplan. Hij bepaalt zelf hoe hij het probleem gaat aanpakken. De ouders kunnen hem helpen bij dit leren door bijvoorbeeld gerichte vragen te stellen.

De moeder van Joris stelt de volgende vragen: 'Hoe zou je die oefening oplossen? Heb je er al eens aan gedacht om een tekening te maken?'

Joris stelt voor om zijn blokkendoos te nemen. Hij heeft ineens een nog beter idee. Hij gaat een tekening maken!

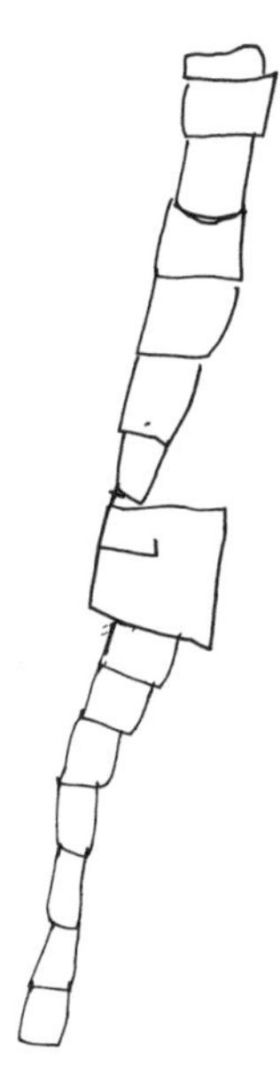

De stap die Joris zet naar 'een tekening maken' is al een heel grote voor een kind met NLD.

D = DOEN

Dit is de stap waarin het kind de taak zal uitvoeren en zijn plan zal volgen. Als ouder kun je het volgende doen:

- Zorg voor een rustige omgeving waarin het kind het werk kan doen. Geef eventueel een jonger kind een andere opdracht (bijvoorbeeld een tekening maken) terwijl het 'oudere' kind bezig is.
- Zorg voor een goede balpen of vulpen.

Als het kind de taak volbracht heeft, gaat hij controleren of datgene wat hij heeft gedaan wel klopt. Hij controleert zijn antwoord op juistheid, zinvolheid, realiteitswaarde en volledigheid en bekijkt zijn gevolgde oplossingsweg. Wanneer de leerkracht vraagt of hij de oefening goed heeft opgelost en alles heeft nagekeken, zal hij anders vaak op tilt raken.

De moeder van Joris stelt volgende vragen: 'Zijn er in totaal weer 15 blokken? Deden we ergens iets fout?'

Keuze of combinatie

Individuele begeleiding

Ondanks het vele oefenen van ouders en leerkrachten kunnen bij kinderen met NLD hardnekkige problemen blijven voorkomen. We denken dan aan visueel-ruimtelijk waarnemen, de fijne motoriek, socio-emotionele problemen enzovoort. Indien deze problemen zich langdurig blijven voordoen en ernstiger zijn dan je zou mogen verwachten van een kind met dezelfde leeftijd, is het belangrijk om advies te vragen aan een deskundige.

Ga als ouders op zoek naar de beste hulp en laat je eventueel begeleiden door de (kinder)arts, centra voor leerlingenbegeleiding, schoolbegeleidingsdiensten, kennissen, vrienden of zelfhulpgroepen.

Bij het kiezen van de beste hulp kun je je als ouders laten leiden door volgende raadgevingen:

- Bij problemen op het gebied van de (fijne) motoriek kunnen kinesitherapeuten of fysiotherapeuten en ergotherapeuten zeker hun diensten bewijzen indien ze op de hoogte zijn van de 'specifieke' moeilijkheden van je kind.
- Bij socio-emotionele problemen kunnen (kinder)psychologen, (kinder)psychiaters, pedagogen, leerlingbegeleiders en zorgmede-

werkers en coördinatoren op scholen en andere hulpverleners op dit vlak zeker de nodige deskundige hulp bieden.
- Bij taal- en wiskundeproblemen kunnen ouders, leerkrachten, remedial teachers en logopedisten de nodige hulp bieden.

Als je als ouder toch kiest voor individuele therapie, bedenk dan het volgende:
- Zonder observatie en grondig onderzoek kun je geen doelgerichte therapie beginnen. Pas na een gedegen onderzoek van de problemen die het kind met NLD heeft, kan er besloten worden of er al dan niet therapie nodig is.
- Volg de raadgevingen van de leerkrachten goed op en toets ze aan je eigen ervaringen en verwachtingen.
- Houd een heel goed contact met de school. Zorg ervoor dat je op dezelfde lijn zit.
- Als er na grondig overleg besloten wordt om toch therapie aan het kind te geven, dan is het belangrijk dat er duidelijke therapiedoelen worden opgesteld.
- Als ouder en als leerkracht moet je weten wat de therapie inhoudt. Informeer hoe de therapie wordt gegeven. Een schriftje waarin de therapeut schrijft welke oefeningen hij of zij heeft gedaan met het kind, kan heel verhelderend zijn.
- De therapie moet binnen het gezin haalbaar zijn. Zeker als het gezin nog andere (buitenschoolse) therapieën en/of activiteiten heeft, moet er bekeken worden hoeveel therapie haalbaar is.
- Regelmatig de behaalde of nog niet behaalde therapiedoelen evalueren is noodzakelijk.
- Overtuig je als ouder ook van het feit dat de therapeut op de hoogte is van het probleem. Wordt er gebruikgemaakt van de sterke kanten om zo de zwakke kanten te stimuleren of werkt hij of zij uitsluitend op de zwakke kanten? Dit laatste doet het zelfbeeld nog verder dalen, waardoor de therapie een extra stressfactor voor het kind wordt.

De ouders van Jo besloten, in overleg met de school en de neuropsycholoog, om te starten met psychomotoriek en ruimtelijk-visuele training. Er volgde een gesprek met een kinesist (fysiotherapeut), die NLD blijkbaar goed kende. Tijdens de eerste sessie met Jo haalde de therapeut onmiddellijk papieren tevoorschijn waarop verschillende figuren over elkaar heen getekend stonden. Jo moest de figuren eruit halen. Dit verliep uiteraard zeer moeizaam. Jo kwam buiten, barstte onmiddellijk in tranen uit en riep: 'Ik kan niets, ik ben een nul, zelfs de hulp die ze me willen geven begrijp ik niet.' De ouders zochten een andere kinesist, die startte met tweedimensionale spelletjes zoals vier op een rij. Deze kinesist werkte veel verbaal en legde uit in welke opening zij de schijfjes deed en waarom. Ook Jo deed dit. Naarmate de therapie vorderde, ging Jo enorm vooruit. Naar de kinesist gaan werd bijna een hobby.

Jo werd voor de start van de therapie onder andere getest op zijn IQ. Toen bleek er een kloof van 43 punten te zijn tussen zijn verbale en zijn performale IQ. Na 3 jaar therapie bleek het verschil nog 28 punten te bedragen. Dit wilt niet zeggen dat de therapie zijn intelligentie heeft verhoogd, maar wel dat Jo door de therapie zijn mogelijkheden volledig heeft leren benutten.

Medicatie

Er wordt vaak gezegd dat er medicatie zou bestaan voor de behandeling van NLD. Voor de symptomen van NLD die te maken hebben met structureel inzicht bestaat er momenteel echter nog geen geneeskundige ondersteuning. Uiteraard krijgen kinderen met NLD soms medicatie vanwege hun vaak voorkomende (visuele) aandachtsproblemen. Deze medicatie is dan dezelfde als bij kinderen met AD(H)D. Daarbij wordt voornamelijk gebruikgemaakt van medicatie die inwerkt op de stoffen die de verbinding tussen cellen verzekeren (neurotransmitters), onder andere dopamine. Dat zijn in hoofdzaak stimulantia zoals methylfenidaat en dexamfetamine. Methylfenidaat is de scheikundige naam voor het meest gebruikte middel bij AD(H)D (merknamen: Captagon®, Concerta®, Provigil®, Rilatine®, Rilatine MR®). Methylfenidaat is effectief bij kinderen vanaf 6 jaar mits aan een aantal voorwaarden is voldaan. Het moet met voorzichtigheid worden toegediend indien het kind met NLD een ernstige depressie heeft, een aanleg heeft voor tics of lijdt aan slecht gecontroleerde epilepsie.

Naast methylfenidaat is er nog een tweede middel, namelijk dexamfetamine. In België en Nederland is het niet als specifiek geneesmiddel beschikbaar en moet een arts het gewoon als stof voorschrijven; het is beschikbaar als magistrale bereiding, wat wil zeggen dat de apotheker het product bestelt en zelf bereidt.

Jongeren met NLD die ook depressieve neigingen hebben (iets wat vaak voorkomt in deze groep), krijgen soms antidepressiva toegediend. Wat antidepressiva bij kinderen en adolescenten betreft, is er de laatste tijd echter bijzonder veel aandacht voor de ongunstige balans tussen baten en risico.

De beslissing om medicatie te geven en het opstarten van medicatie mag pas genomen worden als er een degelijke diagnostiek is gesteld door een ervaren arts. Deze diagnostiek moet op een deskundige manier gebeuren. Geregeld overleg van de ouders met de behandelende arts en de school van het kind is van groot belang.

Een nieuwe trend is ook het gebruik van omega 3-vetzuren. Omega 3-vetzuren zouden, volgens de fabrikanten, bij veertig procent van de kinderen de visuele aandachtsproblemen verminderen. Ze moeten het wel een lange periode nemen voordat er effect merkbaar is. Er zijn verschillende samenstellingen op de markt, met verschillende percentages vetzuren. Momenteel is er echter weinig wetenschappelijke literatuur en onderzoek beschikbaar over de precieze werking van omega 3-vetzuren. De waarde ervan bij aandachtsproblemen is totaal niet bewezen.

Socialevaardigheidstraining

Kinderen gebruiken hun sociale vaardigheid of hun sociale onhandigheid zoals ze hun moedertaal gebruiken. Al vanaf de peuter- en kleuterleeftijd leren ze te vragen en te weigeren, te lachen en te huilen. Ze leren hoe ze aandacht kunnen krijgen, hoe ze hun willetje kunnen opleggen, hoe ze afhankelijk, meegaand en lief kunnen zijn. Ze maken ruzie met zusjes of broertjes, verdedigen hun terrein en proberen andermans terrein in te pikken. Een heel gamma van relatievormen wordt door hen spelenderwijze ontdekt en geoefend.

Maar bij kinderen met NLD gaat het vaak moeilijker. Zij moeten de sociale vaardigheden oefenen die ze minder goed in de vingers hebben. Het is hierbij van groot belang dat ze zich bewust zijn van de verscheidenheid van omgangswijzen. Ze moeten ook weten dat een relatie niet eenzijdig is. Alleen dán zullen deze kinderen in hun omgang met anderen een voldoende ruim gamma van relatievormen kunnen aanwenden.

De volgende vaardigheden met de daarbij behorende oefeningen kunnen thuis, op school en in andere situaties met het kind worden geoefend:

- Zich in bepaalde situaties assertief gedragen.
  - Het kind zich met naam en toenaam laten voorstellen in een kleine groep.

    Het is zaterdagmiddag, de eerste keer dat de jeugdbeweging bij elkaar komt. Daan is wat beschaamd. Hij moet zich in de groep voorstellen. Hij wordt rood en stamelt: 'Ik... ben Daa... an.' De leidster, die alle begrip heeft, zegt dat hij rustig moet zijn en gewoon zijn voornaam moet zeggen tegen de groep. Daan voelt zich gerustgesteld, haalt diep adem en zegt hardop: 'IK BEN DAAN.' De leidster knipoogt naar hem.
  - Het kind een eigen mening onder woorden laten brengen.

    De leerkracht van de vierde klas vraagt aan Samuel: 'Wat vind jij van het milieuproject op school?'
- Respect en waardering opbrengen in de omgang met anderen, zoals het kind leren om anderen te waarderen door eens een complimentje te maken of een schouderklopje te geven.

Arne zegt tegen Lisa: 'Dat heb je mooi gedaan, proficiat!'

- Leiding geven bij groepstaken en onder leiding van een medeleerling werken.
  - Het kind leren een voorstel naar voren te brengen.
    De moeder van Hannelore vraagt wat ze zondag gaan doen. Hannelore mag een voorstel doen. Zij zegt: ''s Middags wil ik graag eerst naar opa en oma toe en dan een ijsje gaan eten op de Grote Markt van Dendermonde.'
  - Het kind leren regels en afspraken na te leven.
    De afspraak binnen het gezin is dat Jonathan en Hannelore elke dag om 19.00 uur gaan slapen. Ze mogen dan nog 15 minuten in bed lezen en daarna gaan de lichten uit. Beide kinderen houden zich goed aan de gemaakte afspraken.
  - Het kind aansporen om samen te werken met anderen.
    Charlotte en Mathias maken tijdens hun vakantie op het strand een mooi kasteel. Hun broertje Niels maakt een ander kasteeltje. Hun moeder vraagt of Niels niet een beetje zou willen samenwerken met Charlotte en Mathias zodat het een groot kasteel wordt.
- Kritisch kunnen zijn en een eigen mening formuleren.
  - Het kind leren dat hij op een passende wijze zijn afkeuring kan laten blijken in onrechtvaardige situaties.
    Florian en Sarah spelen in de tuin. Om de beurt mogen ze gedurende een halve dag de hoed dragen die ze van hun opa hebben gekregen. Florian houdt de hoed een hele dag op. Sarah zegt: 'Florian, ik vind dit niet eerlijk. We hadden toch afgesproken dat we allebei de hoed een halve dag mochten opzetten.'

Behalve dat het kind met NLD gebruik moet kunnen maken van een aantal relatievormen is het ook belangrijk dat hij een aantal conversatiegewoonten beheerst in de omgang met anderen. Hij moet een aantal regels over communicatie en omgangsvormen kennen, én ze in de praktijk kunnen toepassen. In gesprek gaan met anderen en dit gesprek op een bevredigende manier onderhouden en afsluiten is een onmisbare sociale vaardigheid. Kinderen met NLD moeten daarom de kans krijgen om te leren communiceren met andere kinderen en volwassenen. Belangrijk is wel dat hier thuis en op school het vereiste klimaat voor wordt gecreëerd.

Loopt het toch fout, dan is het aangewezen om de situatie rustig te bespreken met het kind. Hij heeft vaak slechts een gedeeltelijk beeld van het gebeurde. Door het bespreken van een situatie kan hij er geleidelijk meer zicht op krijgen.

Het kind kan oefenen om een aantal verbale en non-verbale conversatiegewoonten na te leven in functionele situaties door:

- duidelijk hoorbaar te spreken;
- af en toe eens te vragen of de ander hem begrijpt;
- expressief te praten;
- niet alleen gesloten maar ook open vragen te stellen;
- in een gesprek aan te geven dat hij zelf aan het woord wil komen;
- actief te luisteren;
- iemand anders te laten uitspreken;
- na te gaan of de ander de boodschap wel goed heeft begrepen;
- ertoe te komen een gesprek af te ronden.

Ten slotte zal het voor het kind met NLD van groot belang zijn dat hij kan samenwerken met anderen, zonder onderscheid te maken naar sociale achtergrond, geslacht of afkomst. Dit is een specifieke vaardigheid die hij kan leren en oefenen. Bovendien biedt kunnen samenwerken met anderen een onvervangbare kans om van anderen te leren. Om deze vaardigheid te oefenen, kun je als ouders of leerkracht samen met het kind:

- regels en een taakverdeling afspreken met het oog op een vlotte gezins- of groepswerking bij een spel of taak;
- afspraken maken die binnen het gezin of de klas kunnen worden nageleefd;
- onderling overleggen.

Ouders en leerkrachten kunnen bij het begrijpen en het aanleren van al deze sociale vaardigheden gebruikmaken van de axendieren op een axenroos, een didactisch concept van Ferdinand Cuvelier.

De dieren, die gegroepeerd zijn in een vaste positie op een veld van krachten, de axenroos, zijn op de meeste scholen een bekend gegeven. Met 'ax' wordt de mogelijkheid aangegeven die een mens heeft om tot een relationele actie over te gaan. Een ax is een relatievorm in aanleg. Het hele veld van relatievormen kan worden samengevat door tien hoofdrelatievormen. Plaatsen we deze tien relatievormen, of axen, op een plattegrond of windroos, dan tekenen we de 'axenroos'.

De sociale vaardigheid begint met het differentiërend zien en benoemen van gedrag. Een hulp hierbij kan zijn het verbinden van een naam en gedrag aan een bekende figuur uit de dierenwereld.

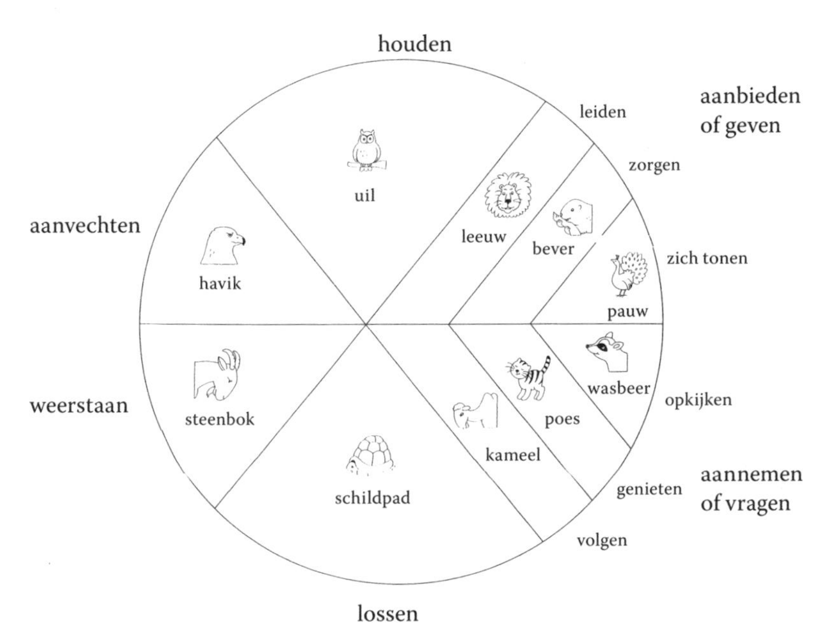

Naar: *Cuvelier, F. (1998). Sociaal vaardig? Lieve deugd.* Brugge: Die Keure

1. De pauw: is aanwezig

   De pauw laat zich zien. Hij heeft veel veren. Wie zich laat kennen is als een pauw. Wie een complimentje verdient, mag dat op zijn hoofdband plaatsen. De pauw durft ook zijn minder goede kanten te laten zien als hij zich omdraait: dan ziet men ook de achterzijde.

   Hannelore is jarig. Ze loopt naar de versierde stoel en gaat erop staan. Ze roept: 'Ik ben jarig, joepie.'

2. De wasbeer: waardeert

   De wasbeer kijkt op en bewondert. Hij valt op door zijn mooie, met witte vacht omrande ogen. Hij klimt hoog in de bomen en kan kijken naar alles wat er te zien is. Hij waardeert anderen.

   Jonathan is ijverig bezig met blokken stapelen tot een mooie toren. Tom zit naast hem op de mat en kijkt toe. Wanneer de toren klaar is, klapt Tom in zijn handen en roept: 'Bravo Jonathan, dat heb je mooi gedaan.'

3. De bever: zorgt

   De bever helpt en zorgt. Hij bouwt zijn nest met boomstammen die hij aandraagt. Hij zorgt voor zijn familie. Ook veel andere dieren zorgen, net als de bever zelf, goed voor hun kroost.

   Thomas helpt Sven bij het aantrekken van zijn jas.

4. De poes: geniet

   De poes laat zich dienen. De poes laat zich makkelijk aaien. Ze laat zich knuffelen en verzorgen. Ze miauwt om iets te krijgen.

   De moeder van Jen is moe en vraagt aan Jen: 'Haal eens een kussen voor me uit de slaapkamer.'

5. De leeuw: leidt

   De leeuw geeft bevelen. De leeuw zegt hoe het moet. Hij geeft ook uitleg aan de andere dieren. Hij leidt het spel. Hij weet veel en vertelt het verder.

Papa zegt: 'En nu snel naar je bedje, het is slaaptijd,' en hij pakt Jarno bij de hand om de trap op te gaan.

6. De kameel: volgt
De kameel doet wat bevolen wordt. De kameel staat, gaat liggen, loopt door de woestijn, draagt lasten... Hij gehoorzaamt als geen ander. Hij voert ook veel bevelen uit zonder morren.
Jarno rent snel naar boven en zegt: 'Ik ben al bijna in mijn bedje.'

7. De havik: valt aan
De havik kijkt boos en controleert. Hij is bekend om zijn aanvallende houding. Maar let op: hij kan ook goedgemutst zijn en kritiek uiten op iets wat ook echt verkeerd is.
Liselotte zegt tegen haar jongere broertje: 'Jij hebt je speelgoed weer niet in de speelkoffer gelegd. Mama zal weer kwaad zijn.'

8. De steenbok: weerstaat
De steenbok verdedigt zich met zijn grote horens. Hij beveiligt zijn terrein. Hij laat zich niets zeggen. Hij verzet zich, zegt: 'Nee, ik wil niet.'
Het broertje van Liselotte kijkt boos: 'Jij bent mijn mama niet. En die koffer is niet van jou.'

9. De uil: houdt
De uil doet niet mee en wil alleen zijn. Hij trekt zich terug op zijn kerktoren. Hij wil alleen zijn om na te denken. Hij is wijs.
Femke wil niet vertellen wat ze weet over het wangedrag van de ouders van haar vriendinnetje.

10. De schildpad: ondergaat
De schildpad kan iets niet en is bang. Hij kruipt weg onder zijn schild en kan daaronder stilletjes huilen.

Jonathan zegt, met tranen in zijn ogen, dat hij moe en ziek is, maar dat hij bang was om het te zeggen.

Als men met deze dierenkenmerken vertrouwd is, kan men actie aan reactie koppelen. Dit kan thuis en op school onder meer worden aangeleerd via rollenspel en 'doen alsof'-opdrachten.

De meester wordt wel of niet gehoorzaamd. In axen heet het: de leeuw krijgt een kameel voor zich, of de leeuw krijgt met een steenbok te maken. Als de moeder (de leeuw) tegen haar zoontje zegt: 'Eet je soep eens op,' kan het zoontje antwoorden met 'ja' (dan is hij een kameel) of met 'nee' (dan is hij een steenbok).

4 •• PROBLEMEN DIE ZICH OP SCHOOL KUNNEN VOORDOEN

We bekijken in dit hoofdstuk welke problemen zich per vak mogelijk kunnen voordoen. In hoofdstuk 5 volgen tips om deze problemen aan te pakken.

Een heel belangrijk gegeven is dat veel kinderen met NLD zelf proberen hun probleem met bepaalde leerstofonderdelen te omzeilen. Ze zoeken trucjes, maar beschikken vaak niet over de basis. Pas later, als verder wordt gebouwd op het geleerde, blijken deze trucjes niet meer te werken en moeten ze alsnog terug naar de basis.

Een ander regelmatig terugkomend gegeven is dat kinderen met NLD op school vaak een heel ander beeld van zichzelf geven dan thuis. Een kind zet als het ware 'een maskertje' op waar je als leerkracht niet doorheen kunt kijken. Het is voor hem een 'overlevingsstrategie'. Het kind probeert zich op school sterk te houden en wordt, door zijn verbale sterkte, vaak overschat. Leerkrachten zijn dan vaak zeer verwonderd als ze horen welk gedrag het kind thuis vertoont. Een kind met NLD zal thuis vaak de op school opgebouwde spanning ontladen. Het is een signaal dat serieus genomen moet worden, ook al merkt men er op school niets van. Daarom moet de school ouders serieus nemen als ze melden dat er zich thuis problemen voordoen. Het is verkeerd om daaruit te concluderen dat het enkel een probleem van thuis is.

Jo wordt op school gezien als een zeer intelligente, rustige jongen. Er doen zich, volgens de leerkracht, geen problemen voor, noch op sociaal vlak, noch op leerstofgebied. Maar elke ochtend als Jo op school komt, weigert hij uit de auto te stappen. Wanneer hij dan uiteindelijk uitstapt, zet hij een masker op. 's Avonds bij thuiskomst komen alle frustratie en onmacht naar boven. Als de leerkracht dit hoort, is ze zeer verwonderd. De ouders worden wel geloofd, maar het probleem wordt op school nog steeds onderschat. Jo is immers een rustige, vriendelijke jongen en er zijn geen leerproblemen. De inspanning die Jo doet om zich op school te handhaven wordt niet gezien. Als Jo op een avond weer alle onmacht naar boven laat komen, neemt zijn moeder dit met behulp van een geluidsband op. Jo zegt huilend: 'Iedereen doet alsof de school een groene weide is, maar het is een moeras. Ik moet ertegen vechten want ik verdrink.' Hij schreeuwt: 'Help me, want ik verdrink!'

Als de leerkracht dit fragment hoort, is ze erg aangedaan. Dit lijkt een totaal ander kind. Het probleem wordt eindelijk ernstig genomen en de school haalt alle druk weg voor Jo, waardoor hij weer tot rust kan komen.

Kinderen met NLD hebben vaak meer tijd nodig om hun werk te maken. Dit is vooral bij rekenen merkbaar. Zij moeten zich in eerste instantie al kunnen oriënteren op hun blad en zodra de oefening is gevonden, moeten ze de visuele gegevens omzetten in verbale gegevens om zo de opdracht te begrijpen. Daar komt bovendien ook nog een (vaak visueel) concentratieprobleem en/of een vertraagd automatisatieprobleem bij, dan daalt het werktempo nog meer.

Hierdoor zullen kinderen met NLD vaak weinig of geen tijd hebben voor die leuke extra spelletjes die kinderen op school soms mogen doen als het werk af is. Vaak hollen kinderen met NLD van de ene opdracht naar de andere.

Taal

Je zou het misschien niet verwachten, maar kinderen met NLD hebben ook vaak problemen met taal, bijvoorbeeld met bepaalde onderdelen van spelling, begrijpend lezen en taalbeschouwing.

Problemen met bepaalde onderdelen van spelling

Kinderen met NLD kunnen vaak wel goed woorden spellen, maar hebben problemen met aanvankelijk spellen.

Eerst leren de kinderen klankzuivere woorden (woorden die je schrijft zoals je ze zegt). Wanneer kinderen later woorden aanleren waar spellingsregels bij te pas komen, kan dit voor een aantal kinderen met NLD problemen geven. Het is immers nieuw voor hen dat je niet alle woorden schrijft zoals je ze hoort. Weten wanneer je bepaalde spellingsregels moet toepassen, is niet voor alle kinderen met NLD gemakkelijk. Vooral in het tweede, derde en vierde leerjaar (groepen 4, 5 en 6) kan dit problemen opleveren. Nadien verdwijnen deze problemen geleidelijk doordat het kind meer inzicht krijgt in het gehele spellingsysteem.

Laten we nu enkele spellingregels eens van dichtbij bekijken.

▸▸ *Verdubbelen of niet?*

Verreweg de meeste Nederlandse woorden schrijf je zoals je ze hoort. De verdubbeling van de medeklinker (pannen, kikker) en de enkele klinker in een open lettergreep (nemen, boten) vormen hierop echter een uitzondering. Veel kinderen met NLD hebben aanvankelijk enorme problemen met het leren spellen van deze woorden. Het kan een hele tijd duren eer kinderen de woorden herkennen die aan deze spellingsregel voldoen. Waarom schrijf je bijvoorbeeld wel 'bomen' met een enkele o terwijl je 'gieter' niet met enkel een i schrijft?

▸▸ *De verlengingsregel*

Het is belangrijk om de verlengingsregel gestructureerd en duidelijk aan te leren. Het kind met NLD krijgt zeker problemen als hij niet weet hoe dit moet. Het gaat erom dat kinderen een woord moeten 'verlengen' om erachter te komen wat de laatste letter van het woord is. Zo schrijf je 'paard' met een -d omdat je weet dat het meervoud 'paarden' is. Hierbij hoort ook de b/p-regel: het woord 'web' moet ook worden verlengd om te weten dat de laatste letter een -b is en geen -p. Hoeveel kinderen schrijven niet 'ik hep een paard', vooral in groep 3 of het eerste leerjaar? Het principe van 'geïsoleerd' aanleren, dat we in hoofdstuk 3 bespraken, kan ook hier weer van pas komen.

Begrijpend lezen

Kinderen met NLD zijn verbaal sterk; ze hebben een goed verbaal geheugen. Toch geldt dit bij begrijpend lezen vooral voor die gegevens die letterlijk in de tekst staan. Het zogenaamd 'tussen de regeltjes door lezen' is heel moeilijk voor hen. Ook het interpreteren van wat er in de tekst staat, het doorgronden van figuurlijke betekenissen en humoristische tekstfragmenten gaan vaak aan hen voorbij, net als het zien en aanvoelen van een opbouw of verhaallijn in een tekst.

Taalbeschouwing en grammatica

Op de basisschool is er vrij veel aandacht voor taalbeschouwing: het reflecteren op taal. Veel taalmethodes hebben als uitgangspunt dat kinderen zich door reflectie bewust worden van het taalgebruik en van de structuur van taal, waardoor ze hun eigen taalgebruik verbeteren. Grammatica wordt hier dan in verweven. Regels vloeien voort uit de ervaringen van de kinderen. Op zich is dat een knap didactisch principe, maar kinderen met NLD hebben behoefte aan systematisch werken. Ze trekken de impliciete regels niet spontaan door. Ook de verschillende benamingen die, afhankelijk van de leeftijd, worden gebruikt om bepaalde zinsonderdelen of woordsoorten te benoemen, zorgen voor verwarring. Zo spreekt men in een aantal taalmethodes in lagere klassen of groepen eerst over het 'doewoord' en wordt dit later de persoonsvorm; een 'hoewoord' wordt dan weer plots een bijvoeglijk naamwoord.

Ook in het secundair of voortgezet onderwijs zullen deze problemen zich voordoen. Wanneer is bijvoorbeeld 'haar' een zelfstandig naamwoord en wanneer een bezittelijk naamwoord? Dit moet men aan kinderen met NLD zeer expliciet uitleggen.

Ook bij het aanleren van vreemde talen komen dergelijke problemen vaak voor. Een taal is niet altijd logisch opgebouwd en vaak zijn er meer uitzonderingen dan regels. Een voorbeeld.
Je zegt in het Frans:

J'ai un cahier	C'est **mon** cahier	Ce cahier est à **moi**
Nous avons un cahier	C'est **notre** cahier	Ce cahier est à **nous**

Dit is voor een kind met NLD zeer verwarrend, want logisch zou zijn dat je zegt: 'Ce cahier est à je' of 'Ce cahier est à noi'.

Schrift

Door een combinatie van een ruimtelijk-visueel probleem en de zwakkere motoriek, ontstaan er vaak ook problemen bij het schrijven. Het schrijven vraagt een enorme inspanning, die voor de leerkracht soms duidelijk merkbaar is, zeker als het kind nog jong is: een slordig handschrift, niet op de lijntjes kunnen schrijven, niet netjes onder elkaar kunnen schrijven, geen bladoverzicht hebben... Bij jonge kinderen valt vaak op dat zij langer dan gebruikelijk letters en cijfers omdraaien (spiegelbeeld) of dat ze van rechts naar links werken.

Een aantal kinderen met NLD zal na veel oefenen het handschrift automatiseren, voor anderen blijft dit een probleem.

Ondanks een mogelijke automatisatie blijft schrijven een enorme inspanning vragen: het overnemen van gegevens van het bord in een schrift blijft extra concentratie vergen. Zo is bijvoorbeeld het invullen van een schoolagenda erg moeilijk: eerst moet een kind alle gegevens terugvinden op het bord, waarna het ze op de juiste plaats in de agenda moet zetten. Voor iemand met een ruimtelijk-visueel probleem is dit een heel zware opdracht, iets wat leerkrachten vaak onderschatten. Opmerkingen zoals: 'Vul je agenda volledig in', helpen het kind dan ook niet verder.

Wiskunde

Visueel-ruimtelijke problemen bij meetkunde en metend rekenen

Een kind met NLD heeft vaak veel problemen met het onderdeel meetkunde en metend rekenen. Gebrek aan ruimtelijk inzicht is hierbij vaak de boosdoener. Zelfs in het secundair of voortgezet onderwijs zien we dat jongeren met NLD blijvend problemen hebben met de visueel-ruimtelijke voorstelling van getalinformatie. Hierdoor is het plaatsen van getallen op een getallenas uiterst moeilijk, net als alle aspecten van meetkunde, zoals volgorde herkennen, zich oriënteren in de ruimte, figuren natekenen, patronen in een rij tekenen, herkennen en voortzetten, de positie van een voorwerp bepalen, spiegelingen, symmetrieassen, en lengte en inhoud schatten.

Hoofdrekenen en procedurele rekenproblemen bij het cijferrekenen

Zoals we al eerder zagen, hebben kinderen met NLD vaak moeite met het goed onder elkaar zetten van getallen. Ook hebben ze vaak problemen met het opmerken van visuele details, zoals bewerkingstekens (+, –, × en:).

Ook eenheden, tientallen en honderdtallen kunnen aanvankelijk van plaats worden verwisseld. Het kind hoort bijvoorbeeld 134 en schrijft 143, omdat hij eerst het honderdtal hoort, dan de eenheid en dan pas de tientallen. Deze fout verdwijnt als het kind inzicht heeft in het verschil tussen het schrijven en zeggen.

Getallenassen en de visuele voorstellingen van sommen zijn eveneens moeilijk.

De automatisatie van splitsingen en van de tafels van vermenigvuldiging kan sterk vertraagd verlopen. Dit heeft dan ook onmiddellijk een weerslag op het cijferend rekenen.

Het opslaan van getalbeelden is erg problematisch. Bovendien gebruiken rekenmethodes vaak verschillende getalbeelden door elkaar, wat alles nog complexer maakt. Dit heeft zijn weerslag op oefeningen met de zogenoemde brug (over een tiental of honderdtal heen rekenen). Als een kind immers geen getalbeeld heeft, is het veel moeilijker om eerst aan te vullen tot aan het volgende tiental. Het kind zal zich daarom behelpen door gewoon door te tellen. Kinderen kunnen hierin een zeer grote handigheid en snelheid ontwikkelen, waardoor het nauwelijks opvalt dat ze doortellen. Het kijken naar vingers is vaak al voldoende om in gedachte verder te tellen.

Neem als voorbeeld de som 7+6=?. Meestal leren kinderen om vanaf 7 aan te vullen tot 10 en daarna de resterende 3 erbij te tellen. Je doet dus 7+3+3=13. Kinderen die moeite hebben met getalbeelden, zien niet dat je bij 7 er 3 moet optellen om tot 10 te komen en zullen er gewoon vanaf het getal 7 6 bijtellen. Bij hogere getallen komen ze daardoor vanzelfsprekend in de problemen. Het al of niet opslaan van getalbeelden is echter nauwelijks te controleren.

Rekentaalproblemen met veel tekst (vraagstukken of redactiesommen)

Kinderen met NLD hebben vrij veel problemen met de beoordeling van rekentaal in opgaven met veel tekst (vraagstukken of redactiesommen). Ze maken ook veel redeneerfouten bij taken waarbij ze zich een voorstelling moeten maken van de taal om ze correct te kunnen oplossen. Ook vinden ze in de hoeveelheid tekst niet snel die gegevens terug die ze nodig hebben en zullen ze vaak de eerste gegevens gebruiken die ze vinden. Stappenplannen zijn noodzakelijk om hun inzicht te geven in de structuur van een vraagstuk of redactiesom.

Aanleren van sociale vaardigheden

Op school en thuis zullen kinderen met NLD problemen hebben om zich aan spelregels te houden. Vaak ontstaan er dan ook conflicten op de speelplaats met andere kinderen over de 'oneerlijkheid' van het spel.

Jeffrey had afgesproken met Jonas (een kind met NLD) dat ze bij het knikkeren twee knikkers af moesten geven wanneer ze raak schoten. Op een bepaald ogenblik verandert Jeffrey de spelregels en zegt hij dat ze voortaan maar één knikker af moeten geven. Jonas wordt woedend en begint met Jeffrey te vechten. Hierbij gooit hij alle knikkers met een smak naar het raam. Het raam gaat kapot en Jonas krijgt een fikse straf.

De weinig expliciete manier waarop kinderen vaak spelregels afspreken en veranderen is voor kinderen met NLD verwarrend en te weinig voorspelbaar. Daarom is het nodig om veel aandacht te besteden aan het aanleren van nieuwe sociale vaardigheden, zoals hoe het kind zijn gevoelens kan uiten, hoe het omgaat met afwijzing, hoe het voor zichzelf opkomt en hoe het contacten legt.

5 •• Hoe pak je de problemen aan?

Algemeen

De algemene regel is dat je een kind aanleert om zichzelf mondeling te ondersteunen. Een kind met NLD functioneert beter met verbale ondersteuning. Sommige kinderen voelen dit zelf aan en doen het spontaan, anderen zul je de weg moeten wijzen. Leer het kind vanaf het begin om alles hardop te doen. Als een kind dit onder de knie heeft, leer je hem om de opdracht 'hardop in het hoofd' te zeggen. Dit betekent dat een kind leert om de woorden voor zichzelf klankloos te formuleren. Een tussenstap kan zijn dat het kind eerst alles fluisterend doet.

Stappenplannen zijn een enorme hulp. Een stappenplan bevat dezelfde denkstappen die bij de leerstof in de klas zijn aangeleerd. Ze worden in woorden aangeboden en worden stap voor stap gecombineerd met visuele schema's. Een kind moet deze stappenplannen hardop (of 'stil in zijn hoofd') hanteren.

Als ouders aangeven dat het kind slecht in zijn vel zit, neem dit dan ook serieus. De druk wordt dan te groot. Als de problemen blijven aanslepen, dan zal het leren volledig stagneren. Stop of verminder dan huiswerk, schrijftaken, verminder het aantal oefeningen... en wees gul met complimentjes. Leerkrachten hebben het hier vaak behoorlijk moeilijk mee: ze zijn bang dat het kind (nog verder) achterop zal raken. En toch blijkt uit de praktijk telkens weer dat dit het enige is dat werkt. Als een kind inwendig zo onder druk staat, komt er van leren niets meer terecht. Eindeloos herhalen heeft dan het omgekeerde effect. Eerst moet het kind weer openstaan om te kunnen leren en daarom moet eerst 'de druk van de ketel' worden gehaald. Vaak merkt men dat het kind daarna vanzelf een inhaalmanoeuvre maakt.

Wees alert of het kind wel of niet automatiseert. Kinderen zijn vaak zeer handig geworden in het maskeren ervan en ontwikkelen trucjes die soms slechts op korte termijn werken, maar die niet meer toepasbaar zijn voor complexere leerstofonderdelen.

Dirk, een kind met NLD, krijgt aan het einde van het tweede leerjaar (groep 4) een schitterend rapport mee naar huis. De ouders twijfelen. Thuis stapelden de problemen zich de afgelopen maanden op en de moeder, zelf een leerkracht, vermoedt dat haar zoontje niet meer aan leren toekomt en dat er sprake is van een ernstig vertraagde automatisatie. Dirk wordt onafhankelijk getest op zijn niveau van rekenen en spelling. Hieruit blijkt overduidelijk dat Dirk inderdaad het afgelopen jaar nieuwe leerstof niet echt heeft verwerkt. Zijn reken- en spellingsniveau zijn allebei op niveau van het eind van het eerste leerjaar (groep 3) blijven steken. De school kan en mag niet verantwoordelijk worden gesteld voor deze onopgemerkte achterstand, maar als de school dit in september te horen krijgt en de ouders willen bekijken hoe het probleem kan worden aangepakt, krijgen de ouders onmiddellijk te horen dat er een verwijzing naar het buitengewoon onderwijs (speciaal onderwijs) nodig zal zijn, aangezien de school geen extra inspanningen kan doen. Gezien het hoge IQ van Dirk weigeren scholen van dit type zijn inschrijving. Dirk neemt afscheid van zijn oude vriendjes en gaat naar een nabijgelegen school waar men wel bereid is aanpassingen te doen: de druk wordt voor hem verminderd, schrijftaken worden beperkt... en Dirk start ook met logopedie. De ouders merken al snel verschil: Dirk komt tot rust en komt weer aan leren toe. In januari wordt er weer een niveautest gedaan en Dirk blijkt nu wel te automatiseren, en zijn reken- en spellingsniveau zijn in die mate gestegen dat er nog amper sprake is van een achterstand. Hij gaat nog twee maanden door met logopedie zodat hij wat extra bagage krijgt, maar daarna stopt hij er helemaal mee.

Wees voorzichtig met eindeloos herhalen. Soms moet je aanvaarden dat een kind iets niet aangeleerd krijgt. Te lang herhalen verhoogt slechts de druk en verlaagt het zelfbeeld (dat vaak al zeer laag is bij kinderen met NLD) waardoor het leren volledig in het gedrang kan komen. Merk je na een tijd herhalen dat er nauwelijks vooruitgang is, schakel dan hulpmiddelen in (tafelkaarten, computer, rekenmachine) en leer het kind daarmee werken.

Als je als leerkracht geen probleem opmerkt, wil dat niet zeggen dat er geen probleem ís. Zeker in de laagste klassen kun je vele problemen voorkomen voordat ze duidelijk zichtbaar worden. Ga ervan uit dat een kind met NLD inderdaad een visueel-ruimtelijk probleem heeft. Voorkom veel leed door juist in die eerste leerjaren, wanneer de basisleerstof wordt gegeven, te werken met vergrotingen. Wacht dus niet tot de problemen duidelijk boven tafel komen, maar geef in de jongste groepen vergrotingen, zeker voor rekenen. Geef het kind dezelfde oefeningen en werkboeken als de andere kinderen, maar zorg voor minder oefeningen op een blad. Hij zal zich daardoor beter kunnen concentreren op de leerstof zelf in plaats van zich op het blad te oriënteren, waarna hij zich alsnog moet concentreren op uitzoeken wat er exact moet gebeuren. De andere kinderen en de leerkracht zijn dan al een heel eind verder in het bespreken van de oefeningen. Meer informatie over vergrotingen is op te vragen via de NLD-vereniging. Volgende aandachtspunten zijn ook belangrijk.

- Zorg voor een goede samenwerking met instanties die aan leerlingenbegeleiding doen. Om kinderen met NLD goed te begeleiden is het nodig voldoende overlegmomenten en een permanente evaluatie in te bouwen om alles goed te kunnen volgen.
- Zorg voor een geïntegreerde, professionele ondersteuning van buitenschoolse diensten (logopedie, ergotherapie enzovoort).
- Bouw zo veel mogelijk overlegmomenten met ouders in. Dit kan vóór, tijdens of na schooltijd. Zorg er als leerkracht ook voor dat de ouders kunnen komen voor een informeel gesprek.
- Zorg aan het einde van het basisonderwijs voor voldoende overlegmomenten met het vervolgonderwijs.
- Zorg in de klas voor een goede plaats en voor voldoende aangepast materiaal. Wat de jongere kinderen betreft, denken we hierbij aan

een honderdveld, getallenlijn, meetlat, gradenboog, ruitjespapier enzovoort.

- Laat het kind in de klas nooit onverwacht iets op het bord oplossen.
- Formuleer duidelijke doelen. Het kind moet duidelijk weten wat de basisleerstof is en wat aanvullende leerstof is.
- Splits meervoudige taken uit. Leer elke stap (wat eerst, wat dan) afzonderlijk aan en leer later te combineren. Oefen en herhaal eerdere stappen voldoende.
- Maak duidelijke onthoudbladen. Hier volgen enkele voorbeelden.

Symmetrie (vanaf circa 7 jaar)

Symmetrie is een spiegeling waarbij de twee delen van één figuur elkaars spiegelbeeld zijn. Een symmetrieas is een spiegelas die een figuur verdeelt in twee gelijke delen die het spiegelbeeld van elkaar zijn.

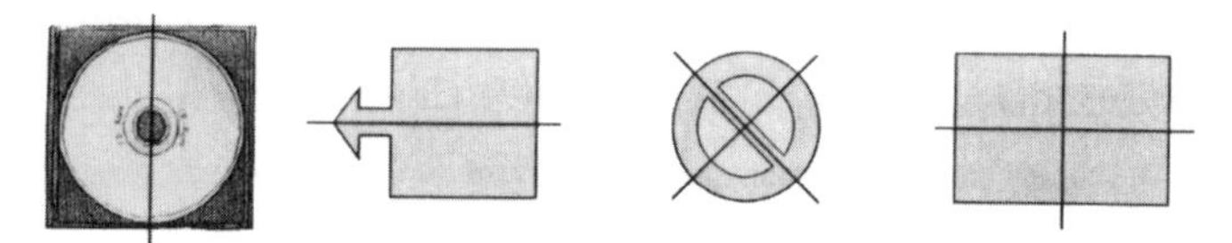

Bij een asymmetrische figuur vind je geen twee stukken die elkaars spiegelbeeld zijn. Er is geen symmetrieas bij een asymmetrische figuur.

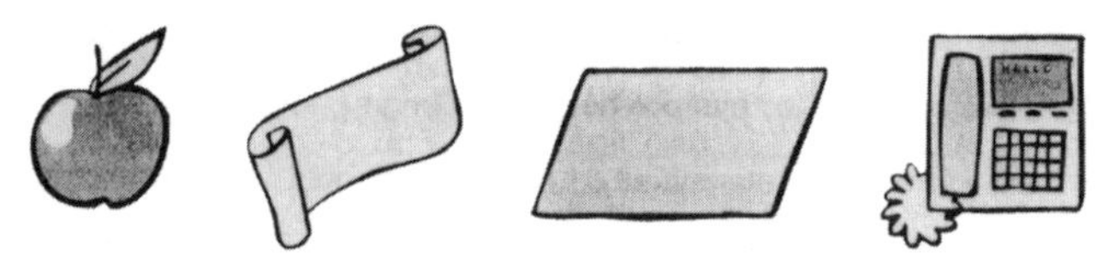

Naar: *Nieuwe Tal-rijk 6a – Onthoudboek,* Mechelen: Wolters Plantyn

Symmetrieassen in vlakke figuren

In vlakke figuren kun je geen, één, twee of meer symmetrieassen hebben.

Geen symmetrieassen:

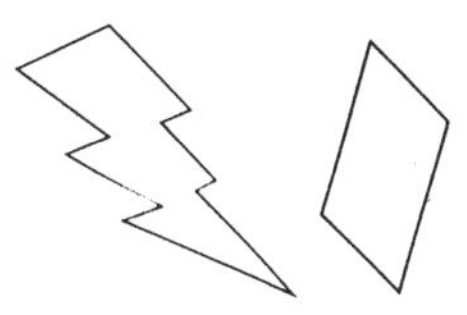

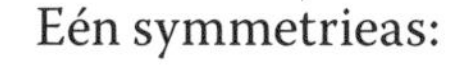

Eén symmetrieas:

Naar: *Nieuwe Tal-rijk 6a – Onthoudboek,* Mechelen: Wolters Plantyn

Blokkenbouwsels (vanaf circa 6 jaar)

Van een blokkenbouwsel kun je een bovenaanzicht of plattegrond tekenen op een bouwplaat. Op deze plattegrond noteer je in elk vak met een getal hoeveel blokken er staan. Dat zijn hoogtegetallen. Hieronder zie je de plattegrond van een blokkenbouwsel en ernaast hoe het er in werkelijkheid uitziet.

Plattegrond

Echt blokkenbouwsel

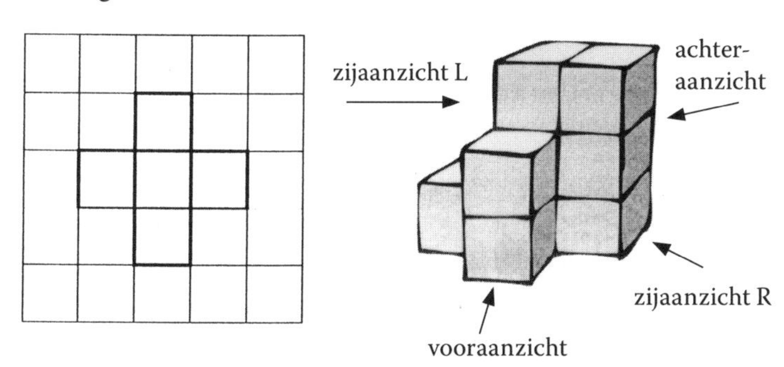

Je kunt nu het bouwsel van vijf kanten bekijken.

Probeer het voor- en achteraanzicht en de zijaanzichten te tekenen zonder het bouwsel te maken. Als je tekeningen niet overeenkomen met de tekeningen hieronder, bouw dan het bouwsel met blokken na en kijk vanuit de vier aangegeven richtingen naar het bouwsel.

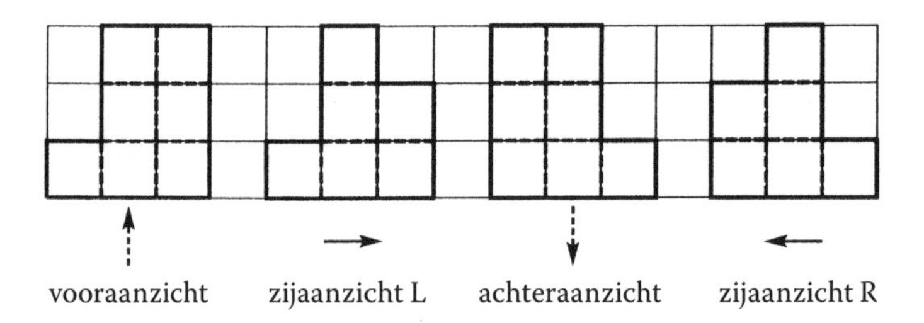

Naar: *Nieuwe Tal-rijk 6a – Onthoudboek,* Mechelen: Wolters Plantyn

Het bovenaanzicht is hetzelfde als de plattegrond zonder hoogtegetallen.

Ook thuis kun je als ouders een aantal dingen doen:

- Probeer de omgeving zo eenvoudig mogelijk te houden. Zo kun je bijvoorbeeld het speelgoed een vaste plaats geven en gebruikmaken van bakken om het speelgoed in op te bergen. Je kunt deze bakken voorzien van (zelfgemaakte) plaatjes, bijvoorbeeld foto's uit een reclamefolder van speelgoed. Zo weet het kind altijd wat in welke bak hoort.
- Sommige kinderen met NLD houden van een kleine, afgeschermde plek in huis om te spelen. Dit geeft ze een 'veilig' gevoel.
- Laat het kind met NLD zo veel mogelijk aan sport doen, zodat de motorische vaardigheden worden geoefend.
- Geef constructieve kritiek. Tom houdt bijvoorbeeld bij het eten altijd zijn mes verkeerd vast. Zijn ouders kunnen dan zeggen: 'Je houdt je mes verkeerd vast.' Je kunt ook zeggen: 'Probeer eens of het gemakkelijker is om je mes vast te houden met je andere hand.'
- Oefen de sociale vaardigheden. Leer je kind emoties te benoemen: Wanneer voel je je zo? Hoe voel je je nu?
- Leg het kind niet te veel keuzes voor, want dan zal hij vaak gaan twijfelen.

- Herhaal veel. Denk niet dat je kind als je iets één keer hebt gezegd al weet wat hij moet doen. Je mag dit kinderen met NLD niet kwalijk nemen. Anderzijds moet je hem wel trainen in goed luisteren.
- Probeer een thuisfront te creëren dat ondersteunend is. Het kind of de jongere moet zich thuis veilig en geborgen voelen.
- Ga met geduld om met een kind met NLD, maar stel wel voldoende eisen en leg grenzen vast, zodat hij een duidelijke structuur ervaart.

Bij het oefenen voor bepaalde vakken hoef je helemaal geen therapeutische opleiding te hebben gevolgd. Toch moeten ouders en leerkrachten kinderen met NLD goed begeleiden. Hoe je dat kunt doen en hoe je de juiste oefeningen kiest en hierop kunt variëren, wordt in dit hoofdstuk uitgelegd. We zullen stilstaan bij de manier waarop je als ouders en leerkracht het kind met NLD kunt helpen bij het bieden van structuur, taal, schrijven, wiskunde en het aanleren van sociale vaardigheden. Er worden leuke oefeningen gegeven die je gemakkelijk zelf kunt uitproberen. Wat je ervoor nodig hebt, wordt bij de verschillende onderdelen besproken. In elk geval heb je een eindeloos geduld en een prima humeur nodig en tijd om na schooltijd en tijdens het weekend met je kind te oefenen.

Hulp bij structuur

- Probeer een vast dagelijks ritme aan te houden. Visualiseer dit eventueel voor het kind, bijvoorbeeld door middel van dagritmekaartjes.
- Licht het kind ruim van tevoren in over komende veranderingen.

Joris zit in groep 7, het vijfde leerjaar. Elke woensdagochtend hebben de leerlingen zwemles. Aangezien de leraar ziek is, kan de les vandaag niet doorgaan. De groepsleerkracht heeft 's morgens voor het begin van de les Joris even bij zich geroepen en hem verteld dat de dag er een beetje anders uit zal zien omdat de zwemleraar ziek is. Joris voelde zich rustig en kon de situatie inschatten.

De ouders van Hanne (8 jaar) gaan zaterdagavond naar een concert. Hanne mag bij haar opa en oma gaan slapen. Vorige keer wilde Hanne al meteen naar huis en hebben haar grootouders enorme last met haar gehad. Nu gaat haar moeder op woensdagmiddag al even met Hanne naar opa en oma en kan ze de kamer en het bed even verkennen waar ze zaterdagavond mag slapen. Hanne weet op zaterdag goed wat er zal gebeuren. Haar opa en oma zijn zondagmorgen in de wolken over haar.

- Bied nieuwe situaties langzaam en stap voor stap aan.
- Herhaal stelselmatig de geleerde kennis voordat nieuwe kennis wordt aangeboden.
- Vermijd in opdrachten te lange zinnen.
- Bied structuur.
- Vermijd zo veel mogelijk verjaardagsfeestjes met cadeaus, een versierde kamer, vriendjes... Voor de meeste kinderen is dit een hoogtepunt in hun leven, maar een kind met NLD kan er volledig door van streek raken.
- Let erop dat je het kind niet te veel overprikkelt. Zo kun je het best één cadeautje geven op een verjaardag in plaats van verschillende cadeautjes ineens.
- Zorg in de klas of thuis voor een 'prikkelarm' hoekje waar het kind naartoe kan wanneer hij daar behoefte aan heeft.
- Zorg thuis voor een rustige omgeving.
- Zorg voor de nodige voorspelbaarheid en overzichtelijkheid. Een simpele kookwekker kan perfect dienst doen. Je kunt dan zeggen: 'Als de wekker afloopt, gaan we...'
- Vermijd op oefenblaadjes zo veel mogelijk illustraties, verschillende lettertypes, grafieken, tabellen enzovoort.

- Bied duidelijke structuur aan voor het onder elkaar schrijven van bijvoorbeeld rekenoefeningen. Maak hiervoor gebruik van ruitjespapier.

Zo is het goed

Tel op:

			1	9	8	
		+		7	0	

Dit brengt verwarring

198
 70
+ ———

- Bied veel extra begeleiding bij opdrachten waarbij er moet worden gevouwen en geknipt.
- Zorg voor niet te moeilijke puzzels.
- Help het kind als het bijvoorbeeld een kaart of iets van klei moet maken. Deze activiteiten vinden kinderen meestal erg leuk, maar kinderen met NLD zien er vaak tegenop.
- Hanteer op school steeds hetzelfde systeem voor bijvoorbeeld cijferen, voor het aanduiden van onderwerp en persoonsvorm, enzovoort.

Hulp bij taal

Verdubbelen of niet?

In *Taalsignaal Plus* wordt deze moeilijkheid aangeleerd door gebruik te maken van een algoritme gecombineerd met een eenvoudig regeltje. Zo'n algoritme, beslissingsschema of stappenplan brengt het kind stap voor stap tot de juiste schrijfwijze. Het stappenplan wordt zeer geleidelijk aangeleerd ('een lange inductie') gespreid over verschillende leerjaren. Het is de bedoeling dat de kinderen dit algoritme steeds meer leren verkorten, totdat ze het zich volledig eigen maken en automatisch toepassen. Het uiteindelijke doel is dat de kinderen de woorden vanuit het geheugen kunnen schrijven.

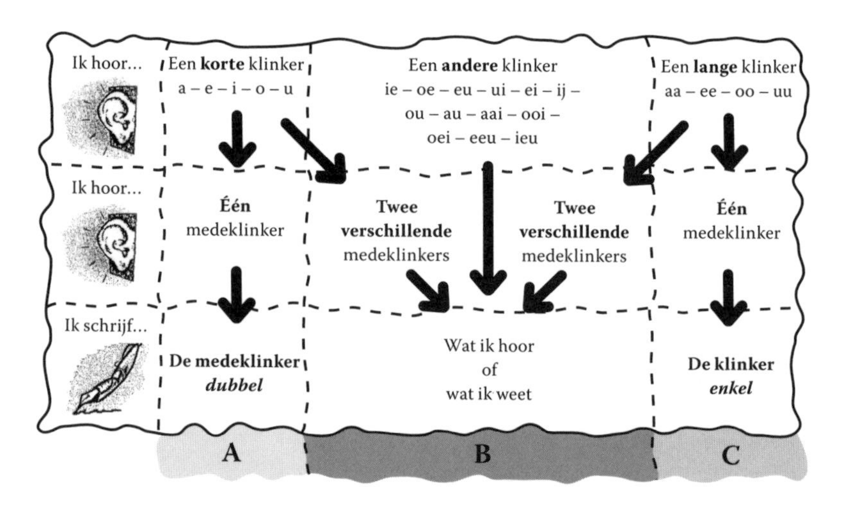

Voorbeelden

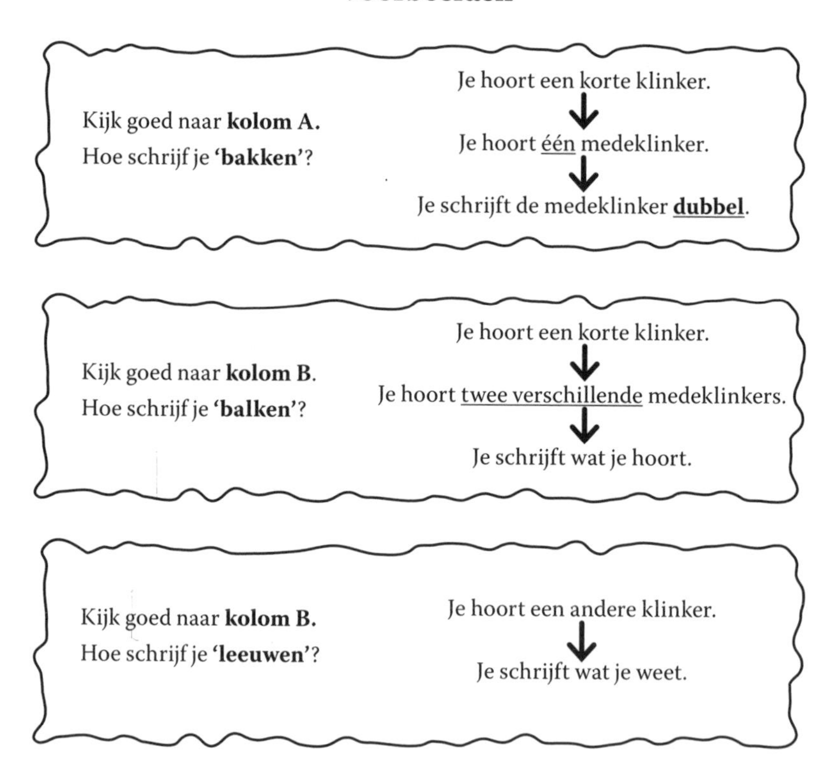

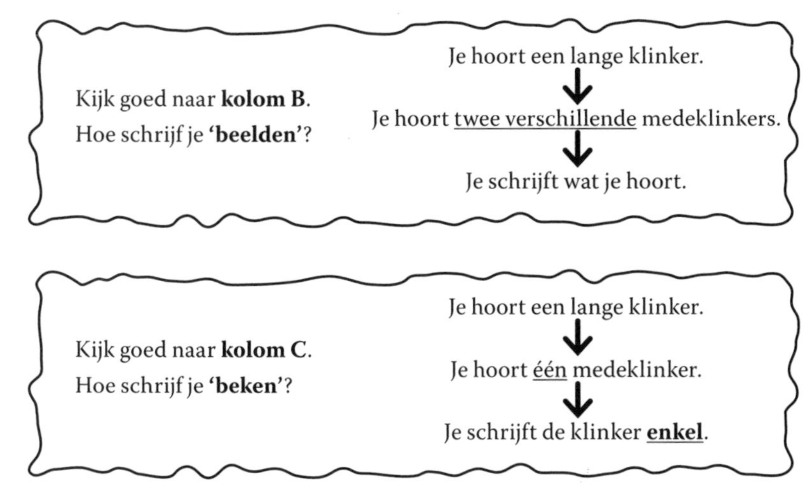

Naar: Baert, K. (2004). *Taalsignaal Plus. Handleiding 4de leerjaar.* Mechelen: Wolters Plantyn

De verlengingsregel

Regeltje: ik schrijf paard omdat ik een -d hoor als ik het woord langer maak: paarden.

Er zijn nog andere regeltjes die zeker kunnen helpen:

- Achter aan een woord schrijf je nooit v of z.
- Aan het einde van een woord schrijf je ee dubbel, ook als dat woord een deel is van een ander woord: mee, meespelen, meegaan.
- Gt of cht? Na een korte klank schrijf je altijd cht, behalve in ligt, legt en zegt.
- Ng of nk? Ik verleng het woord en hoor: lang – lange, bank – banken.
- Je schrijft de lange klank o voor ch altijd dubbel: goochelen, goochelaar.
- Laat de regels hardop zeggen tijdens het doen van een oefening.
- Je kunt het kind spellingregeltjes laten horen op cassette of op cd. Een voorbeeld hiervan vinden we in de methode *Tijd voor taal. Spelling.*

Naar: Tijd voor Taal. Spelling, Lier: Uitgeverij Van In

Hulp bij begrijpend lezen

- Start met eenvoudige oefeningen. Oefen eerst met reproductieve vragen. Dit zijn vragen waarbij het antwoord duidelijk in de tekst staat. Faseer, indien nodig, de tekst en duid aan in welk fragment het antwoord te vinden is.
- Leer het kind zegswijzen en gezegdes aan en leg duidelijk uit wat deze betekenen. Geef ook duidelijke voorbeelden van situaties waarin deze worden gebruikt. Voorbeelden:
  - De aap komt uit de mouw.
  - Dit is de druppel die de emmer doet overlopen.
  - Morgen komt er weer een dag.
- Leg figuurlijke taal altijd duidelijk uit.

Het vinden van geschikt materiaal voor begrijpend lezen is niet eenvoudig. Wij vonden in *Plustaken* van educatieve uitgeverij Delubas bruikbaar materiaal. Dit materiaal is in oorsprong bedoeld voor kinderen die meer uitdaging nodig hebben. De opbouw in moeilijkheidsgraad is echter zeer goed en daarom is het pakket gemakkelijk te gebruiken voor een jongere leeftijdsgroep. De teksten zijn qua woordgebruik en zinsbouw geschikt voor het kind (want in oorsprong bedoeld voor kinderen die een voorsprong hebben), terwijl de opdrachten langzaam opbouwen.

Je kunt de volgende instructiemethode met 5 vaste denkstappen toepassen:

1. **Waarom ga ik lezen?** Vooraf een leesdoel instellen.
2. **Waar zal het over gaan?** Zowel voor als tijdens het lezen verwachtingen uitspreken aan de hand van de titel, subtitel, plaatjes en wat het kind al over het onderwerp weet.
3. **Stop! Waar gaat het over?** Tijdens het lezen worden er controle en reflexiemomenten ingebouwd. Snap ik het nog? Klopte wat ik verwachtte?
4. **Wat is er belangrijk?** Tijdens het lezen reflecteren op het gelezene. Waar ging het over? Wat is er belangrijk?
5. **Waar ging de hele tekst over?** Na het lezen nadenken over de totale inhoud. Evalueren.

Hulp bij taalbeschouwing en grammatica

- Oefen al vroeg in spelvorm het rubriceren van woorden. Denk maar aan de interessante 'rubriceeroefeningen' bij het spellen.
- Schrijf de moeilijke woorden op de juiste plaats.

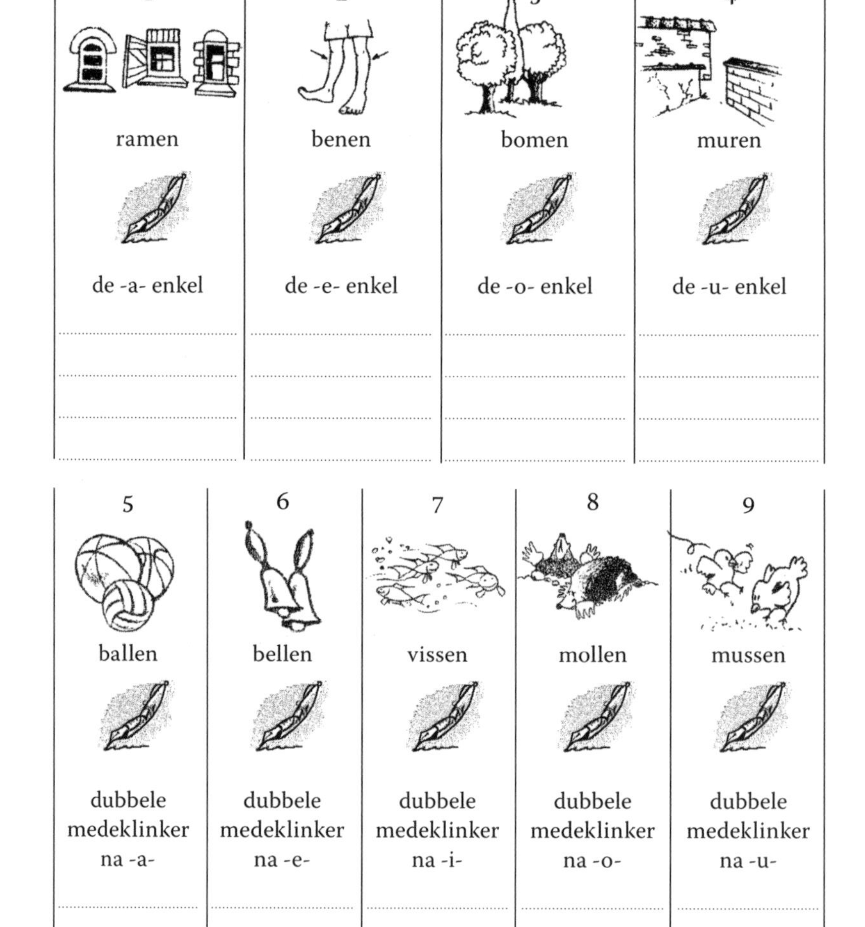

1	2	3	4
ramen	benen	bomen	muren
de -a- enkel	de -e- enkel	de -o- enkel	de -u- enkel
....	....	....	....
....	....	....	....
....	....	....	....

5	6	7	8	9
ballen	bellen	vissen	mollen	mussen
dubbele medeklinker na -a-	dubbele medeklinker na -e-	dubbele medeklinker na -i-	dubbele medeklinker na -o-	dubbele medeklinker na -u-
....	....	....	....	....
....	....	....	....	....
....	....	....	....	....

Naar: *Baert, K. (2004). Taalsignaal Plus. 4de leerjaar.* Mechelen: Wolters Plantyn

Hulp bij schrift

- Start op jonge leeftijd met het schrijven en tekenen op groot formaat. De methodiek van Ragnild Oussoren – *Schrijfdans* – is een voorbeeld van een methode die de motoriek ondersteunt.
- Geef voorbedrukte bladen met schrijfpatronen, maar laat het kind hier niet te lang aan werken. Het is beter om twee keer vijf minuten te werken met als resultaat een beperkt aantal maar degelijke patronen dan het kind langer te laten werken waardoor hij gefrustreerd wordt en een hekel aan schrijven krijgt.
- Blijf het kind motiveren. Geef ook een compliment als hij zich goed heeft geconcentreerd, al is het schrijven een knoeiboeltje geworden. Voor orde zal een kind met NLD immers niet vaak een goed cijfer of een compliment krijgen.
- Laat het kind hulpmiddelen gebruiken bij het schrijven, zoals een 'pencilgrip'.

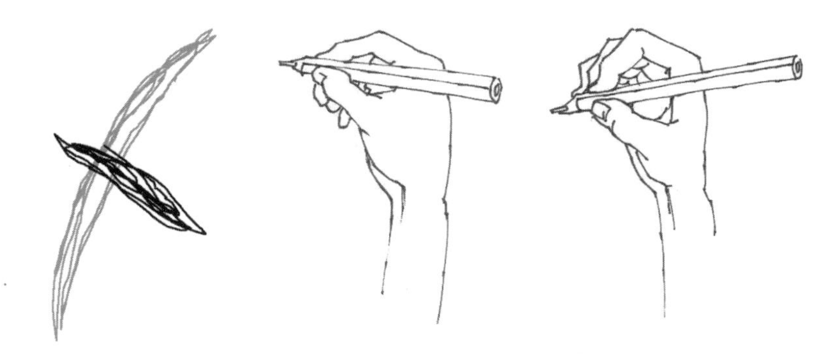

Hulp bij visueel-ruimtelijke problemen bij meetkunde en metend rekenen

- Speel spelletjes in de rij: 'Wie staat er vóór je, wie achter je...?'
- Laat het kind een patroon in een rij voortzetten en verwoorden als: eerste, tweede, laatste, middelste. Je kunt een rij leggen met blokken en de plaats van de blokken verwoorden.
- Laat het kind spelen met kartonnen dozen: zet dozen achter elkaar in een rij en benoem de eerste, de tweede, de middelste doos. Je kunt met een voorwerp gooien in de richting van de dozen en zeggen in de hoeveelste doos het voorwerp terechtkwam. Bij deze activiteit kan het kind dit werkblad invullen:

1	2	3	4	5	6	7
			X			
					X	

Maak reeksen af met kralen of schakels.
Rijg deze kralen in de juiste volgorde aan een veter.

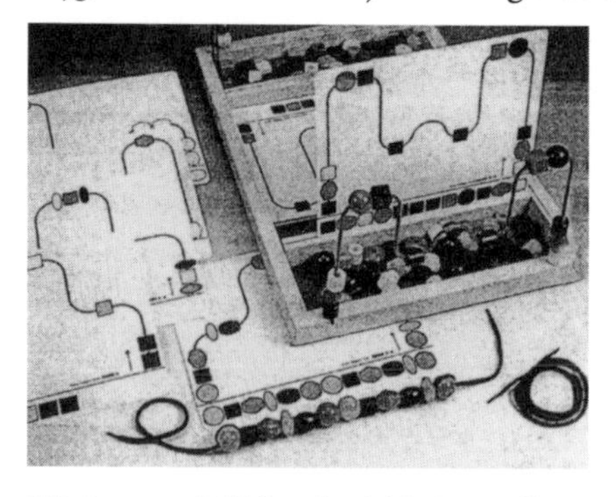

Uit: *Janssens, I. Wiskundige initiatie voor kleuters. Ruimte.* Mechelen: Wolters Plantyn

Maak het parelsnoer dat op de kaartjes aangegeven staat.

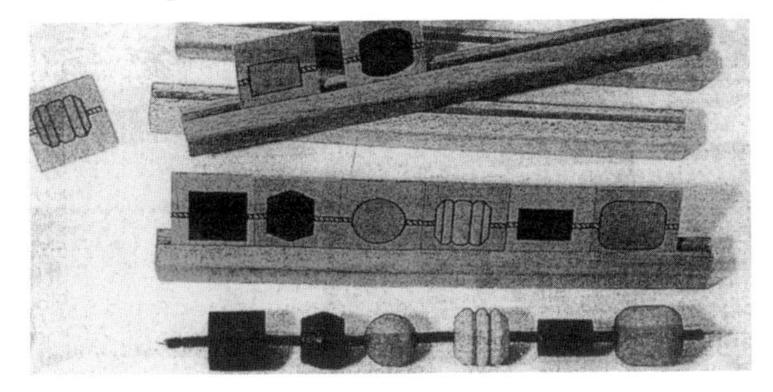

Uit: *Janssens, I. Wiskundige initiatie voor kleuters. Ruimte.* Mechelen: Wolters Plantyn

Activiteiten op het gebied van bewegingsopvoeding en ritmiek geven veel gelegenheid tot gerichte opdrachten voor het ervaren en verwoorden van de plaats van het kind en de richting waarin hij zich beweegt.

- Zet bekende voorwerpen voor de lamp van een diaprojector en laat het kind raden wat het is.
- Oefen met mozaïeken, spijkerplankjes, tangrammen, enzovoort. Het zijn materialen waarmee het oriënteren in een vlak wordt geoefend. Enkele mogelijke modellen voor spijkerplankjes (vanaf de leeftijd van 5 jaar):

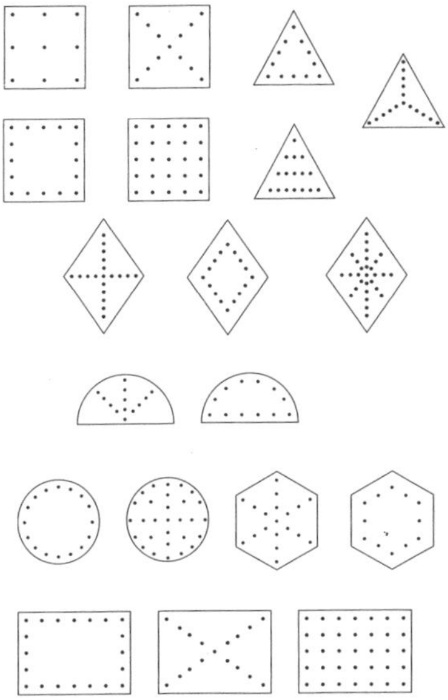

Uit: *Janssens, I. Wiskundige initiatie voor kleuters. Ruimte:* Mechelen: Wolters Plantyn

Enkele voorbeelden van opdrachtkaarten:

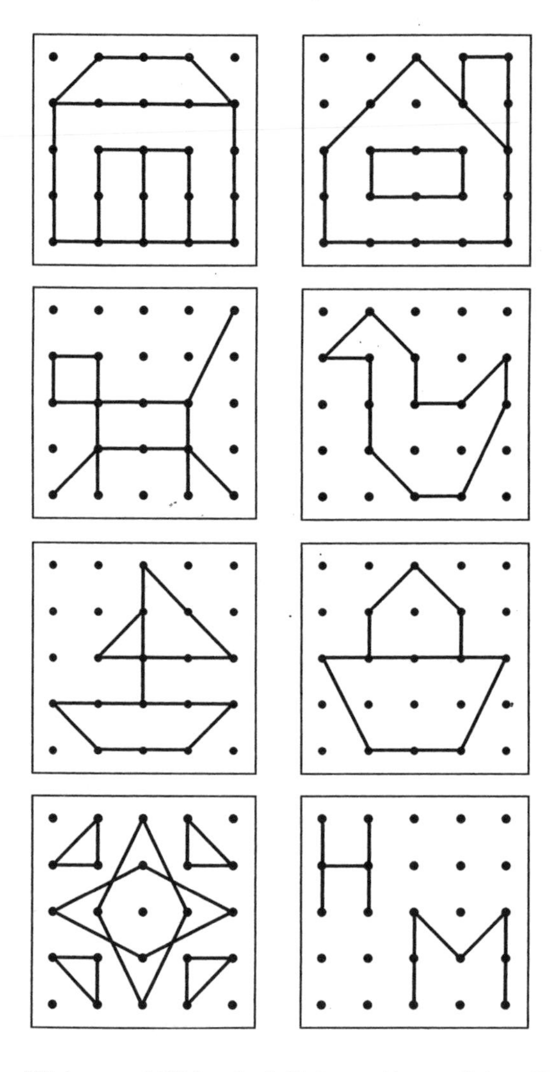

Uit: *Janssens, I. Wiskundige initiatie voor kleuters. Ruimte.* Mechelen: Wolters Plantyn

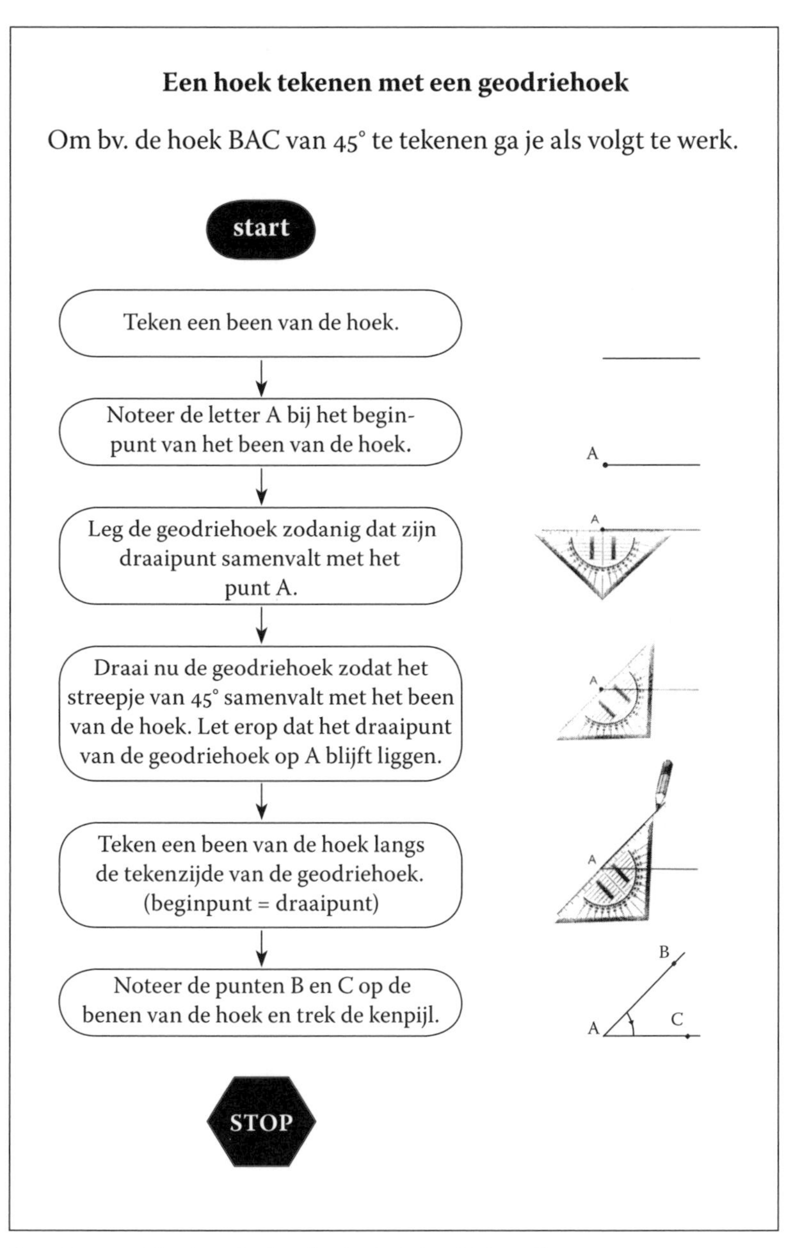

Naar: *Nieuwe Tal-rijk 6 – Onthoudboek*. Mechelen: Wolters Plantyn

– Besteed voldoende tijd aan het uitleggen van het gebruik van meetkundig materiaal. We denken hierbij aan het gebruik van:

- Geodriehoek

Een hoek meten met een geodriehoek

start

Leg de geodriehoek met het draaipunt op het hoekpunt.

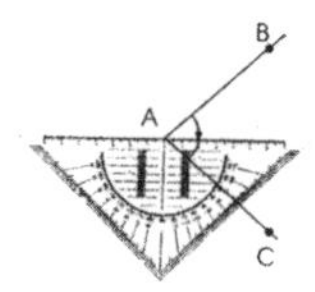

↓

Draai de geodriehoek zodat:
– één been van de hoek samenvalt met de tekenzijde,
– het andere been van de hoek onder de geodriehoek ligt.

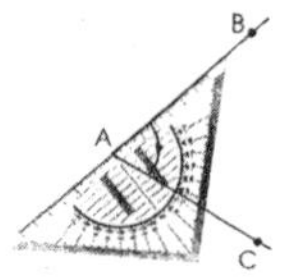

↓

Noteer het kleinste maatgetal dat het been onder de geodriehoek aanwijst, als de hoek die je meet een scherpe hoek is.

ofwel

Noteer het grootste maatgetal dat het been onder de geodriehoek aanwijst als de hoek die je meet een stompe hoek is.

ofwel

Noteer 90° als de hoek een rechte hoek is.

Naar: *Nieuwe Tal-rijk 6 – Onthoudboek*. Mechelen: Wolters Plantyn

- evenwijdige lijnen en loodlijnen tekenen

Evenwijdige rechten tekenen door een gegeven punt

Leg de geodriehoek zodanig dat de tekenzijde evenwijdig is met de rechte b.

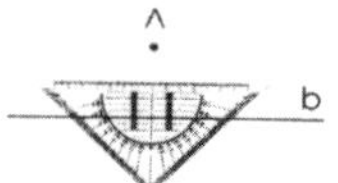

↓

Verschuif de geodriehoek zodanig dat het punt A samenvalt met de tekenzijde.

↓

Teken een lijn langs de tekenzijde.

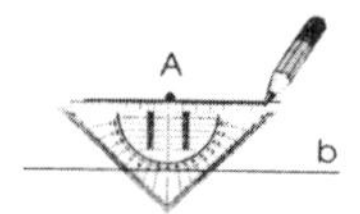

STOP

Loodlijnen tekenen in een punt van een rechte

start

Leg de geodriehoek zodanig dat de rechte a samenvalt met de loodlijn op de tekenzijde.

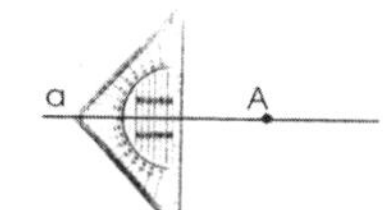

↓

Verschuif de geodriehoek zo dat het punt A samenvalt met de tekenzijde.

↓

Teken een lijn langs de tekenzijde.

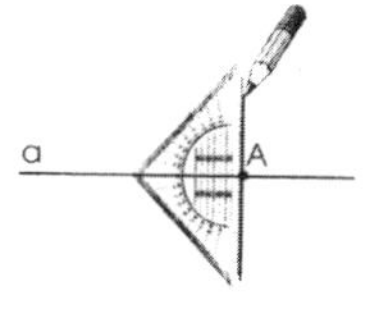

STOP

Naar: *Nieuwe Tal-rijk 6 – Onthoudboek*. Mechelen: Wolters Plantyn

Misschien kun je het kind met NLD helpen om datgene wat hij op school leert ook thuis te laten toepassen. We denken hierbij aan:
– Het kind de weg laten zoeken in de stad.
– Het kind in de auto de richting laten wijzen.
– Een idee voor de tuin of een verbouwing mee laten bedenken.
– De treintijden laten uitzoeken.

Hulp bij hoofdrekenen en procedurele rekenproblemen bij het cijferrekenen

– Gebruik MAB-materiaal

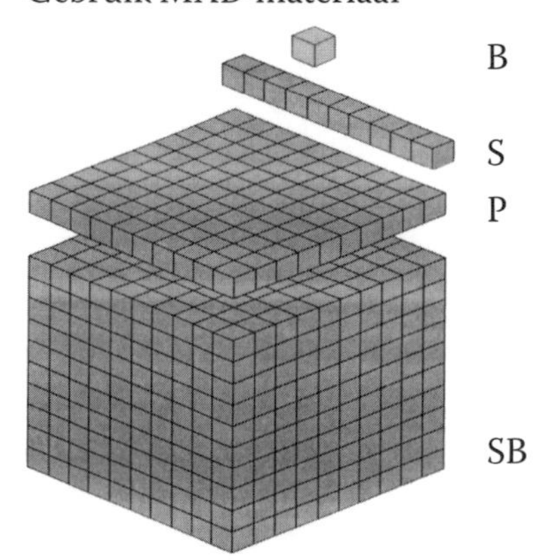

Uit: *Nieuwe Reken Raak-Handleiding 4A*. Mechelen: Wolters Plantyn

Een oefening:
Het kind moet de som maken: 351 + 478 =?. Hij moet dit met MAB-materiaal uitwerken:
SB = Superblok = 1000 = 1 duizendtal (1 D)
P = Plak = 100 = 1 honderdtal (1 H)
S = Staaf = 10 = 1 tiental (1 T)
B = blokje = 1 = 1 eenheid (1 E)

- Gebruik schrijfschema's
  - Cijferend optellen en aftrekken
  - Cijferend delen
  - Cijferend vermenigvuldigen
  - Kommagetallen
  - Oppervlakte- en landmaten
  - Maatgetallen

- Cijferend optellen en aftrekken

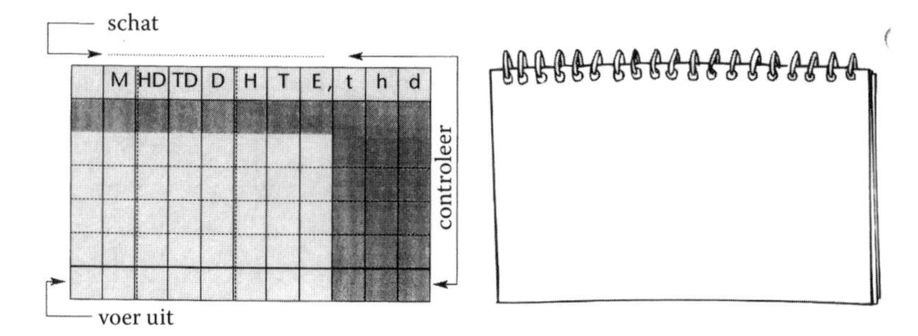

Naar: *Nieuwe Tal-rijk 5a – Kopieerbladen*. Mechelen: Wolters Plantyn

- Cijferend delen

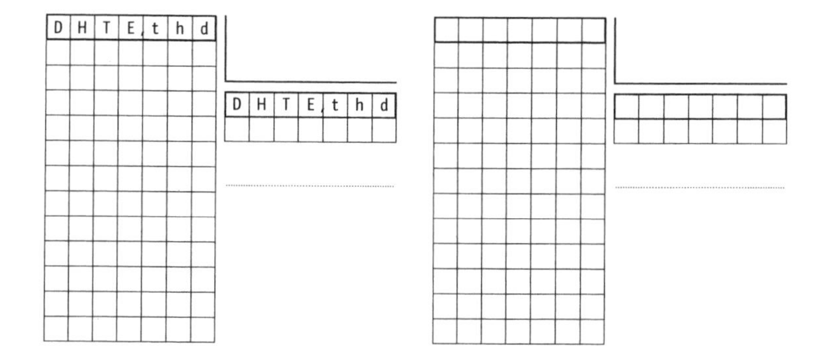

Naar: *Nieuwe Tal-rijk 5a – Kopieerbladen*. Mechelen: Wolters Plantyn

– Cijferend vermenigvuldigen

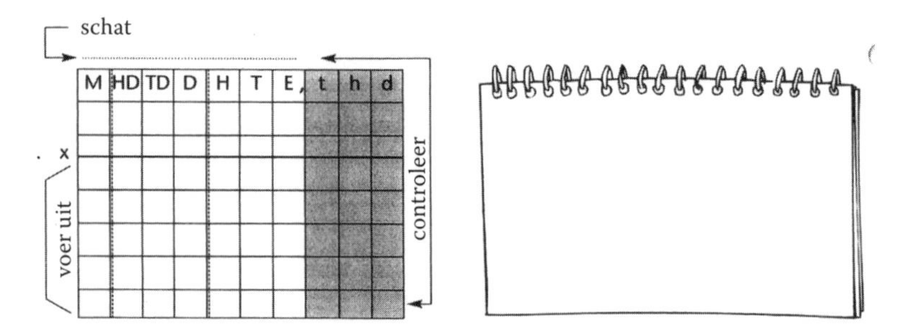

Naar: *Nieuwe Tal-rijk 5a – Kopieerbladen*. Mechelen: Wolters Plantyn

– Kommagetallen

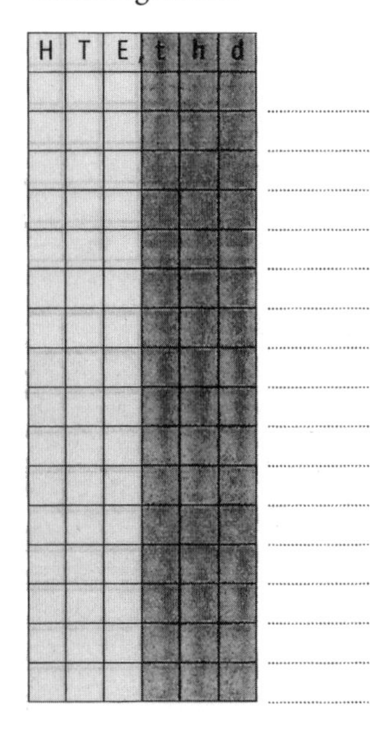

Naar: *Nieuwe Tal-rijk 5a – Kopieerbladen*. Mechelen: Wolters Plantyn

– Oppervlaktematen en landmaten

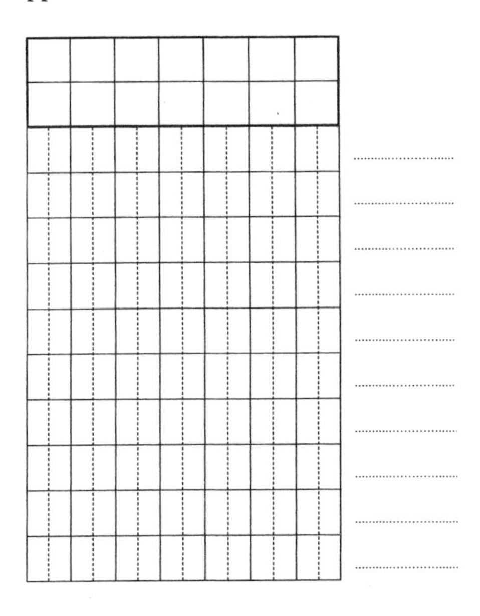

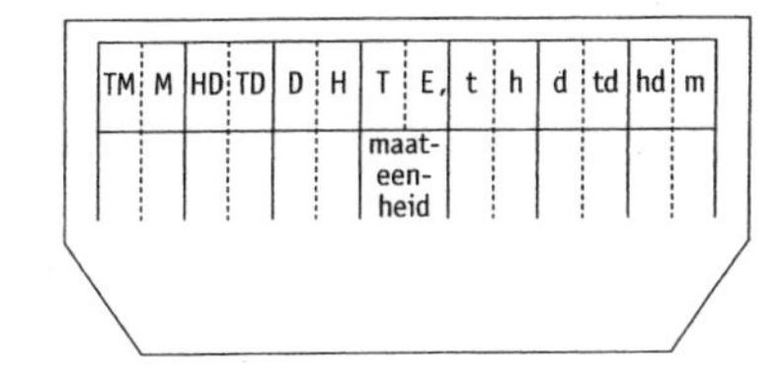

Naar: *Nieuwe Tal-rijk 5a – Kopieerbladen*. Mechelen: Wolters Plantyn

– Maatgetallen

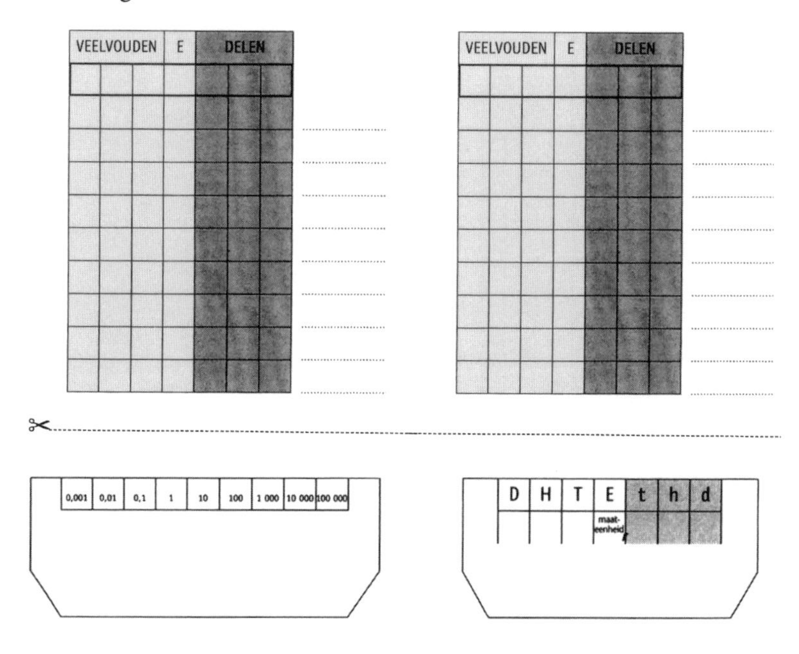

Naar: *Nieuwe Tal-rijk 5a – Kopieerbladen*, Mechelen: Wolters Plantyn

Hulp bij rekentaalproblemen met veel tekst (vraagstukken of redactiesommen)

- Pas de NLD-aanpak (Nadenken, Leren, Doen) toe.
- Oefen de volgende rekentaal voldoende:
  - Veel, minder, evenveel, meer, de helft, het dubbele, de som, het verschil, het product, het quotiënt, keer, maal, plus, min, gedeeld door.
  - Vermenigvuldigingsteken, plusteken, minteken, deelteken, optelling, vermenigvuldiging, deling, aftrekking, uitkomst.
  - Eenheidsprijs.
  - Teller, noemer, breukstreep.
  - Kommagetal, delers, veelvouden.
  - Omtrek, oppervlakte, volume, inhoud.

- Oefen de volgende vraagstellingen in het dagelijks leven voldoende:
  - Hoeveel...?
  - Hoeveel hebben ze te weinig of te veel?
  - Wat ontbreekt er nog?
- Noteer de passende bewerking en de uitkomst.
- Teken er ... bij.
- Streep door.
- Wat weegt het zwaarst?
- Teken een cirkel om ...
- Kleur het passende antwoord.
- Bereken ...

Het volgende stappenplan kan hulp bieden. Het kind ondersteunt zichzelf altijd woordelijk en krijgt slechts het **vetgedrukte** als geheugenondersteuning. De andere tekst is bedoeld als woordelijke en verduidelijkende hulp voor leerkracht en kind.

Aan kinderen met NLD kan het best vroeg worden geleerd om alles hardop te doen. Na korte tijd kunnen ze 'in zichzelf' spreken en hoeven ze het niet meer hardop te verklanken. Toch spreken wij dan nog steeds van 'hardop lezen', dat wil zeggen: verklanken in je hoofd.

1. **Lees** het vraagstuk/de redactiesom **hardop**. Eventuele 'bijstappen' zijn: zeg wat je op de tekening ziet (als er informatie in een tekening verwerkt is) en luister naar de opdracht (als de leerkracht de opdracht voorleest).
2. **Vertel** met je eigen woorden **wat je hebt gelezen** (gezien, gehoord). Als dit niet lukt, herhaal dan stap 1 of vraag hulp
3. **Wat wordt er gevraagd?** Wat moet je zoeken? **Duid** de vraag **aan met een markeerstift**.
4. **Wat weet je al?** Welke van deze gegevens heb je nodig? Duid aan met **een markeerstift**.

5. **Hoe ga je het oplossen?** Denk hardop na hoe je dit gaat doen. Lees eventueel de gegevens die je hebt nog eens door.
6. **Los** het vraagstuk/de redactiesom **op**: schrijf de formule(s) op en reken uit.
7. **Controleer**: lees het vraagstuk/de redactiesom opnieuw hardop en controleer of het antwoord klopt.

Hulp bij sociale vaardigheden

Enkele tips:

- Doet er zich een conflict voor, verduidelijk dan voor een kind systematisch ook de impliciete regels.
- Geef bij het maken van regels en afspraken ook concrete voorbeelden.
- Speel een rollenspel waarbij jij als leerkracht de rol speelt van het kind met NLD. Maak eventueel gebruik van handpoppen of poppenkastpoppen om de diverse rollen duidelijk te maken.

Kinderen met NLD kunnen erg veeleisend zijn. Wanneer ze echt iets willen, moet het gebeuren zoals zij het willen, op hún manier. Op wijzigingen en veranderingen kunnen kinderen met NLD heftig reageren. Dit uit zich vaak in angst, huilbuien, woede-uitbarstingen en extreem lang mokken. Uiteraard lokken deze reacties bij de ouders 'aanpassing' uit.

Enkele tips om met een woede-uitbarsting om te gaan:

- Reageer bij een woede-uitbarsting zelf niet met boosheid.
- Geef het kind een time-out.
- Zorg voor een ruimte waar hij tot rust kan komen en waar hij zijn boosheid kwijt kan.
- Geef duidelijk aan wat wel en niet kan. (Maak deze afspraken van tevoren en niet op het moment dat het kind in zijn boosheid verdrinkt.)

Op school kun je een kind een plaats geven waar hij even alleen kan en mag zijn. Stel dit niet voor als straf. Later, als het kind tot rust is gekomen, bespreek je rustig de situatie.

Kinderen met NLD proberen soms, gezien hun sterke verbale mogelijkheden, tot in het oneindige een discussie aan te gaan. Ga hier niet op in en raak er niet in verstrikt. Blijf consequent.

6 •• TIPS VOOR DE DAGELIJKSE KLASSENPRAKTIJK

Voor de kleuterleeftijd (2½ tot 5 jaar)

Hoewel NLD (momenteel) nog niet op de kleuterschool gediagnosticeerd kan worden, zijn er toch enkele tips die je als kleuterleid(ster)er bij een kind met een vermoeden van NLD kunnen helpen om hem optimaal te begeleiden:

1. Het is belangrijk dat je handelingen, situaties, opdrachten, klasverkenning enzovoort altijd verbaal ondersteunt. Deze kinderen verkennen hun omgeving door middel van taal.
2. Om de vaak onoverzichtelijke omgeving beter te doorzien is het van belang dat je met de kleuter bespreekt wat en waarmee hij gaat spelen en hem stap voor stap begeleidt in de ontdekking van de schoolomgeving.
3. Omdat de omgeving voor sommige kleuters erg bedreigend overkomt, helpt het als er in de klas een veilige ruimte wordt ingericht waar hij of zij zich kan terugtrekken.
4. Meervoudige opdrachten zijn vaak onoverzichtelijk. Geef een opdracht altijd in kleine stapjes. Maak desnoods gebruik van de Beertjes van Meichenbaum of de figuurtjes uit de NLD-aanpak om de kleuters stapsgewijs te leren denken over en werken aan opdrachten.
5. Als je gebruikmaakt van een takenbord, zorg er dan voor dat de activiteiten ook op zijn niveau worden aangeboden.
6. Als blijkt dat de opdrachten nog te moeilijk zijn, doe dan een stapje terug. Het is beter de kleuter op zijn niveau aan te spreken dan hem boven zijn niveau te laten werken, met frustraties tot gevolg.
7. Heb oog voor mogelijke non-verbale signalen van angst. Probeer deze te voorkomen en maak ze bespreekbaar. Desnoods moet je deze angsten voor hem verwoorden. Bespreek de situatie en koppel die aan eigen ervaringen.

8. Ook op sociaal vlak hebben deze kleuters het moeilijk. Sociale vaardigheden verwerven is voor hen een ingewikkeld en complex gebeuren. Het is daarom belangrijk dat je als begeleider extra werkt aan de sociaal-emotionele ontwikkeling. Ook hier geldt de gulden regel: altijd de eigen belevenissen en gevoelens verwoorden en verklaren.
9. Op schrijfmotorisch vlak is het noodzakelijk om groot te werken. Bladen van het formaat A3 of zelfs A2 zijn een minimumvoorwaarde. Gebruik ook dikke potloden. Maak gebruik van een gerichte voorbereidende schrijfmethode zoals *Schrijfdansmethodiek* van Ragnild Oussoren of een andere methode.
10. Kinderen met NLD hebben vaak psychomotorische problemen waardoor ze activiteiten waarin beweging belangrijk is, soms uit de weg gaan. Observeer de kleuter nauwkeurig, moedig hem aan om mee te doen aan alle activiteiten en verwijs desnoods door voor verder onderzoek.
11. Allerlei constructiespelen (zoals Playmobil, K'nex en Lego) maar ook tekenen, kleuren en tweedimensionaal werken, worden door kleuters met NLD vaak vermeden. Moedig hen aan dit soort materiaal te gebruiken; speel desnoods samen met hen of leer hun stapsgewijs bijvoorbeeld een bouwwerk te maken.
12. Bij een schoolrijpheidstest is het belangrijk dat je de aangeboden werkbladen vergroot aanbiedt, zodat de kleuter niet het overzicht van het testblad verliest omdat er te veel informatie op staat.
13. Schakel het CLB of de schoolbegeleidingsdienst in voor gerichte observatie en mogelijke verwijzing naar gespecialiseerde diensten die kleuters met problemen uitgebreid kunnen testen.
14. Blijf ondanks de misschien wat moeilijke momenten de kleuter positief bevestigen. Sommige kleuters ervaren de wereld zo moeizaam dat dit al snel een negatieve invloed heeft op hun zelfbeeld.
15. Om de kleuter te helpen zijn eigen kapstok te vinden is het vaak niet genoeg om deze alleen maar aan te duiden met een foto of pictogram. Belangrijk is ook de plaats van de kapstok. De kleuter vindt het moeilijk om zijn eigen herkenningsteken terug te vinden tussen alle

andere. De oplossing: geef de kleuter een kapstok aan het begin of het einde van de rij. Dan wordt de afleiding door overdaad aan andere herkenningstekens beperkt.

16. Ten slotte het volgende, zeer belangrijke punt: luister naar de ouders; heb oog en oor voor hun bezorgdheid, zelfs al lijkt die je overdreven. Erken hen in hun professionaliteit. Zij zijn de eersten die aan hun kind merken wanneer het te veel wordt, wanneer letterlijk 'de emmer overloopt'. Betrek hen in het gebeuren. Maak gebruik van een heen-en-weerschriftje om wat er op school gebeurt te reflecteren naar het thuisfront en omgekeerd. Streef ernaar dat de kleuter op school en thuis op dezelfde manier wordt benaderd. Stem de violen gelijk. Dat geldt ook voor de mensen die in de middagpauze oppassen en voor de begeleiders op de voor- en naschoolse opvang.

Voor de schoolleeftijd (6 tot 12 jaar)

Advies vooraf

We geven hieronder enkele tips die toegespitst zijn op de schoolleeftijd. Let wel: niet elke tip is bruikbaar bij ieder kind. Dit komt doordat NLD zich niet altijd op dezelfde manier manifesteert. Het beeld dat een kind met NLD geeft, kan zeer verschillend zijn van dat van een ander kind met NLD. Niet alle symptomen komen op dezelfde wijze tot uiting; ze zijn sterk persoonsgebonden en afhankelijk van de context en de leeftijd. Wat een hulpmiddel is voor het ene kind, kan bij het andere helemaal niet aanslaan. Het vraagt van de leerkracht soepelheid en creativiteit om de individuele noden van het kind te leren kennen en samen met de leerling te komen tot een voor beiden bevredigend resultaat.

Probeer ook te streven naar eenduidigheid in het leerkrachtenteam, zodat zowel het kind als zijn omgeving weet op welke manier er met hem gewerkt wordt en wat de wederzijdse verwachtingen zijn.

Laat dus de neuzen dezelfde kant op wijzen. Op die manier is het aangenaam werken met en voor alle betrokkenen.

Maar houd vooral in het oog dat je als leerkracht of begeleider ook mag falen. Durf je kwetsbaar op te stellen en verwoord naar ouders en kinderen dat je niet alles weet. De wederzijdse waardering kan er alleen maar door groeien.

Neem ook eens een kijkje in het deel hiervoor over de kleuterleeftijd. Enkele van de daar aangereikte tips zijn eventueel uit te breiden naar de schoolleeftijd.

Vakoverschrijdende tips

1. Start het schooljaar liefst vanuit een klassieke opstelling. Zet dus alle kinderen frontaal naar het bord gericht. Zo beperk je mogelijke afleidende prikkels. Bij deze opstelling is het voor een kind met NLD (als het ook last heeft van concentratieproblemen) veel overzichtelijker om te volgen. Geef het kind met NLD ook een plaatsje vooraan, dicht bij jou. Op die manier kun je hem met een klein teken of signaal weer bij de les betrekken als je merkt dat de aandacht verslapt. Als het kind met NLD echter geen last heeft van concentratieproblemen is het, in tegenstelling tot bijvoorbeeld kinderen met ADHD, soms beter om hem in het midden van de klas te plaatsen. Vanwege de sociale problemen is hij vaak geïsoleerd. Een kind met NLD is soms ook trager in reageren op instructies en kan midden in de klas snel bij de anderen om hem heen kijken.
2. Een handige tip om de leerling te leren in welke richting er wordt gewerkt en gelezen in de eerste klas: visualiseer links en rechts door gebruik te maken van bijvoorbeeld een groene bol voor links en een rode bol voor rechts. Hang deze duidelijk vooraan in de klas en zet ze ook op de werktafel van de leerling. Groen staat voor start en rood staat voor stop. Verwoord zeker in het begin ook deze gekleurde bollen en de werkrichting bij alles wat je doet.

3. Gebruik een duidelijke methode om de leerlingen een goede werkhouding aan te leren. De Beertjes van Meichenbaum en de NLD-aanpak zijn goede hulpmiddellen. Probeer het aanleren van een goede werkhouding ook door te trekken in de hele school, zodat het als het ware deel uitmaakt van de schoolcultuur.
4. Leer het kind dat hij slechts dat materiaal op de tafel legt dat hij bij die desbetreffende les nodig heeft. Alle overbodige materialen worden opgeborgen. Als het niet lukt om alles netjes op te bergen in de tafel, is een plastic doos naast de tafel een mogelijk alternatief.
5. Besef dat het automatiseren bij een kind met NLD veel meer tijd vraagt. Dat geldt zowel voor schoolse vaardigheden als voor andere vaardigheden, zoals orde leren hebben in de ruimste zin van het woord, het automatisch verwerven van een eigen systeem om te 'leren leren', spelling- en rekenregels en sociale vaardigheden.
6. Als ondanks alle signalen en begeleiding de druk op de ketel te groot wordt of als je merkt dat het kind niet meer meekomt, doe dan een stapje terug. Bouw desnoods een tijdelijke time-out in zodat het kind tot rust kan komen en niet het gevoel krijgt dat hij niets kan of weet. Dit zal het leren immers alleen maar in de weg staan. Verminder of stop volledig met huiswerk, beperk het aantal te maken oefeningen en bevestig voortdurend positieve dingen, zodat het kind weer aan leren toekomt.
7. Check op regelmatige tijdstippen of het kind nog bij de les is, of hij nog weet waarmee of waarover je bezig bent. Je kunt (zoals in punt 1 al gezegd) met de leerling een signaal afspreken om hem erop attent te maken dat je merkt dat de aandacht verslapt of zelfs helemaal weg is. Dat kan door bijvoorbeeld een knipoogje te geven. Je kunt op een vertrouwelijk moment aan het kind zelf vragen wat een goed signaal zou kunnen zijn. Zo krijgt hij het gevoel dat het ook voor jou belangrijk is dat iedereen deelneemt aan wat er in de klas gebeurt.
8. Werk vanuit de sterkere kanten om zo de zwakkere te ondersteunen Anders gezegd: maak gebruik van (gesproken) taal om dingen te verduidelijken die voor leeftijdgenoten vanzelfsprekend zijn.

9. Gebruik hun sterke verbale kwaliteiten door kinderen met NLD andere leerlingen, bijvoorbeeld kinderen die zwak zijn bij het maken van opstellen of verhalen, te laten helpen. Het kind met NLD is ook ideaal om even een boodschap te laten overbrengen naar een collega of naar de directie, op voorwaarde dat hij de weg in de school goed kent. Op schooluitstapjes is hij ook degene die de weg durft te vragen of de gids een extra vraag durft te stellen. Schakel hem daarvoor dan ook in. Het zal zijn vaak toch al zwakke zelfbeeld ten goede komen.
10. Kinderen met NLD hebben voortdurend behoefte om te praten en storen daardoor vaak de les. Daarom is het goed om van tevoren één of meer vaste momenten per dag in te bouwen waarop de leerling zijn verhaal kwijt kan. Deze momenten zullen bij een jonger kind regelmatiger moeten worden ingebouwd dan bij de oudere kinderen. Een kind met NLD weet, als gevolg van zijn zwakke kennis over sociaal gedrag, niet altijd wanneer het past om iets op te merken of te vragen.
11. Zorg ervoor dat je de leerling niet overdondert met schrijftaken. De computer is een goed alternatief (denk aan spellingcontrole, bladschikking en het invoegen van illustraties).
12. Beperk de hoeveelheid oefeningen. Geef liever enkele gerichte en duidelijke oefeningen dan extra grote hoeveelheden.
13. Schakel (indien mogelijk) ook de ouders in om samen met het kind leerstof te systematiseren, bijvoorbeeld bij het oefenen van spellingregels.
14. Ouders zijn ook goede partners om het kind duidelijke orderegels aan te leren: altijd alles op dezelfde plaats in de boekentas of (als het praktisch haalbaar is) regelmatig samen de tafel opruimen. Je kunt hiervoor ook anderen inschakelen als ouders om welke reden dan ook niet kunnen, bijvoorbeeld grootouders, een oudere broer of zus, of desnoods een medeleerling.

Tips om de leerling te ondersteunen op sociaal vlak

1. Zoek een vertrouwenspersoon die het kind de sociale regels uitlegt. Dit gebeurt het best aan de hand van waargebeurde situaties. Dit vraagt van de vertrouwenspersoon een gerichte observatie. Als het kan en mag is het interessant om de probleemsituaties op video te zetten zodat je de situaties met de leerling kunt bespreken, stap voor stap problemen kunt ontrafelen en hem afgesproken regels aan kunt leren.
2. Als het kind van toneelspelen houdt, is dat een goed hulpmiddel om sociale situaties te oefenen. Ook handpoppen zijn dankbaar materiaal om sociale regels aan te leren.
3. Jongere kinderen kunnen speeltijden vaak moeilijk invullen. Het helpt als je hun net ervoor vraagt wat ze willen spelen (je geeft hun bijvoorbeeld drie mogelijkheden); vraag dan even aan de klasgenootjes wie dit spel ook wil spelen. Een volgende stap kan dan zijn om geen keuzes meer aan te bieden maar slechts te vragen wat ze willen doen.

Tips bij het maken van opdrachten, toetsen en examens

1. Bij toetsen of examens is het belangrijk te weten dat onder andere ten gevolge van zijn zwakkere schrijfmotoriek een kind met NLD meer tijd nodig heeft om de test tot een goed einde te brengen. Gun de leerling daarom die tijd. Neem in geen geval de pauzes af van het kind, want dat zijn momenten waarop kinderen sociaal gedrag kunnen oefenen.
2. Bied ook aangepaste test- en werkbladen aan. Vergroot ze en zet niet te veel informatie of oefeningen op één blad.
3. Lees de opdrachten of oefeningen voor, liefst deel per deel.
4. Geef de leerling de kans om na een toets of examen mondeling het geschrevene te verklaren.

5. Stel ook feitenvragen – inhoudelijke vragen zijn vaak te moeilijk. Neem na de toets de antwoorden met het kind door en oefen een correcte verwoording van het antwoord op de vraag.
6. Is zijn handschrift onleesbaar, bekijk dan samen met de school of het mogelijk is om toetsen en examens op een computer te laten maken.
7. Schakel de computer ook in bij het maken van werkjes en spreekbeurten. De leerling met NLD kan zo zelf leren werken met spellingcontrole en een ordelijk leesbaar werkje afleveren.

Tips bij het vak wiskunde

1. Visualiseer de bewerkingstekens. Daarmee bedoelen we dat je elk teken een kleur geeft. Bijvoorbeeld: + is altijd groen, - is altijd rood, × is altijd geel en : is altijd blauw. Voer dit systeem geleidelijk in vanaf de allereerste rekenles en streef ernaar dat de leerling dit uiteindelijk zelfstandig en automatisch doet, ook bij huiswerk. Leg dit systeem ook uit aan de ouders en probeer hen erbij te betrekken, zodat ze, zeker in het begin en zolang de leerling dit nog niet uit zichzelf doet, erop letten dat het kleuren van de bewerkingstekens consequent gebeurt. Dit gebeurt vóórdat de leerling aan het oplossen van de taak begint. Als dit regelmatig wordt geoefend, helpt dit de leerling om te komen tot zelfsystematisering en zal hij onderscheid kunnen maken tussen de verschillende soorten oefeningen.
2. Bied getalbeelden altijd op dezelfde manier aan. Vermijd het aanbieden van allerlei voorstellingen, zoals in realistische rekenmethodes, met verschillende rekenmaterialen zoals rekenstaafjes en blokjes. De leerling heeft er meer baat bij te leren rekenen met naakte cijfers gekoppeld aan één en hetzelfde getalbeeld. Koppel het getalbeeld aan de getallenlijn of laat rechtstreeks werken met een telraam.

Voorbeeld:

1=

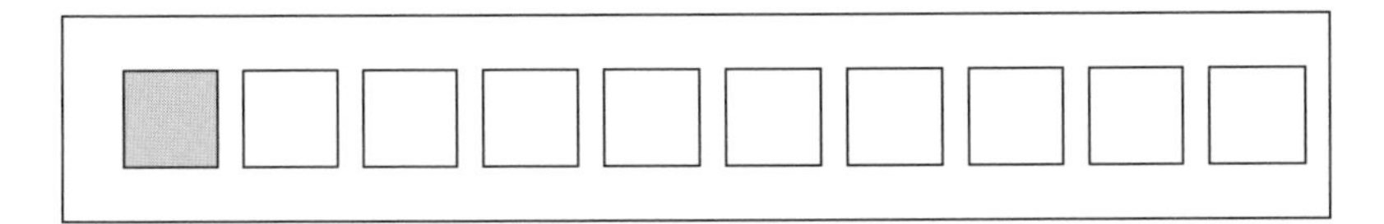

2=

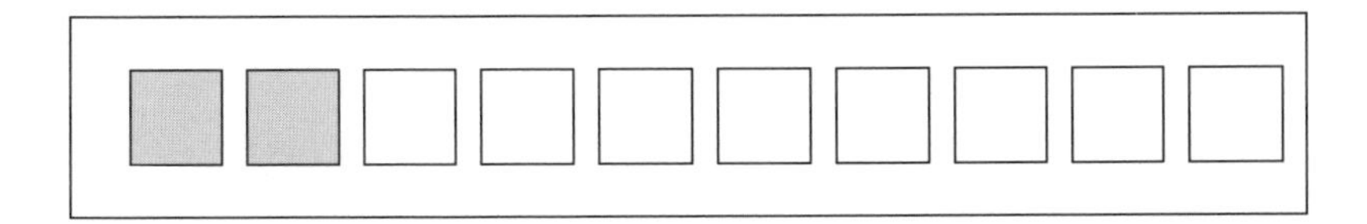

3. Je kunt deze getallijn tot 10 uitbreiden tot een honderdlijn en nadien overstappen naar het honderdveld op het telraam of met MAB-materiaal. Gekoppeld aan die vaste voostelling volgt het aanleren van de positie in het cijfer.
4. Om de leerling wegwijs te maken in de honderdtallen, tientallen en eenheden maak je liefst gebruik van tabellen, ook wel positieschema's genoemd. Trek deze manier van aanleren ook door om inhoudsmaten, lengtematen, oppervlaktematen en gewichtsmaten te oefenen. Besef dat deze leerlingen langer dan anderen behoefte hebben aan dergelijke tabellen. Geef hun daartoe de kans.

H **(honderdtallen)**	T **(tientallen)**	E **(eenheden)**
1	2	3

123 =

5. Om tafels te automatiseren (of zolang deze niet geautomatiseerd zijn) kun je het best gebruikmaken van tafelkaarten.

1 x 1 = 1	1 x 2 =	1 x 3 =	1 x 4 =	1 x 5 =
2 x 1 = 2	2 x 2 = 4	2 x 3 =	2 x 4 =	2 x 5 =
3 x 1 = 3	3 x 2 = 6	3 x 3 = 9	3 x 4 =	3 x 5 =
4 x 1 = 4	4 x 2 = 8	4 x 3 = 12	4 x 4 = 16	4 x 5 =
5 x 1 = 5	5 x 2 = 10	5 x 3 = 15	5 x 4 = 20	5 x 5 = 25
6 x 1 = 6	6 x 2 = 12	6 x 3 = 18	6 x 4 = 24	6 x 5 = 30
7 x 1 = 7	7 x 2 = 14	7 x 3 = 21	7 x 4 = 28	7 x 5 = 35
8 x 1 = 8	8 x 2 = 16	8 x 3 = 24	8 x 4 = 32	8 x 5 = 40
9 x 1 = 9	9 x 2 = 18	9 x 3 = 27	9 x 4 = 36	9 x 5 = 45
10x1 = 10	10x2 = 20	10x3 = 30	10x4 = 40	10x5 = 50
1 x 6 =	1 x 7 =	1 x 8 =	1 x 9 =	1 x 10=
2 x 6 =	2 x 7 =	2 x 8 =	2 x 9 =	2 x 10=
3 x 6 =	3 x 7 =	3 x 8 =	3 x 9 =	3 x 10=
4 x 6 =	4 x 7 =	4 x 8 =	4 x 9 =	4 x 10=
5 x 6 =	5 x 7 =	5 x 8 =	5 x 9 =	5 x 10=
6 x 6 = 36	6 x 7 =	6 x 8 =	6 x 9 =	6 x 10=
7 x 6 = 42	7 x 7 = 49	7 x 8 =	7 x 9 =	7 x 10=
8 x 6 = 48	8 x 7 = 56	8 x 8 = 64	8 x 9 =	8 x 10=
9 x 6 = 54	9 x 7 = 63	9 x 8 = 72	9 x 9 = 81	9 x 10=
10x6 = 60	10x7 = 70	10x8 = 80	10x9 = 90	10x10= 100

Kinderen gebruiken de tafelkaart om hun oefeningen bij de verwerkingsopdrachten op te lossen. In het voorbeeld hierboven zijn de omkeringen opengelaten, dat wil zeggen dat de kinderen bijvoorbeeld 5 × 6 moeten zoeken bij 6 × 5. Kinderen zien zo, terwijl ze automatiseren, dat het aantal nog te leren tafels best meevalt, waardoor hun motivatie niet verder daalt. Voor kinderen die de omkering niet snel terugvinden, kan een volledig ingevulde kaart worden gebruikt.

6. Ook hier geldt de regel: niet te veel oefeningen op één blad. Beperk het aantal oefeningen of werk met een raster zodat de leerling slechts die oefeningen ziet die hij moet oplossen en zich niet verliest in de overdaad aan rijen oefeningen onder en naast elkaar. Indien mogelijk is het wenselijk de werkboeken te verknippen en te vergroten (eventueel door de ouders) en deze in een ringband te doen. Het is één keer veel werk, maar de vergrotingen doen de jaren erna nog dienst voor ande-

re kinderen. (Overwegen jullie om dit op jullie school te doen, geef ons dan een seintje. De NLD-vereniging inventariseert welke school welke vergrotingen heeft.)

7. Als het hoofdrekenen niet lukt, steek dan geen overbodige energie in herhalen en eindeloos oefenen, maar leer de leerling werken met een rekenmachine.
8. Werk met kleuren of kolommen om eenheden, tientallen, enzovoort te oefenen. Misschien kun je een map maken met voorgedrukte kolommen. Je kunt ook de kopieën plastificeren en de leerling met een uitwisbare stift op deze bladen laten oefenen. Op die manier kan de leerling zichzelf verbeteren. Dit werken met kolommen wordt ook gehanteerd voor metend rekenen bij het omzetten van lengte, inhoud, gewicht. Bij oppervlaktematen maak je gebruik van dubbele kolommen.
9. Bij cijferen is het voor de kinderen vaak heel moeilijk om de cijfers netjes op een blad gerangschikt te krijgen. Dit is al een oefening op zich. Een handige tip: gebruik schriftjes met vakjes van 1 cm^2 (zoals voor meetkunde) in plaats van de schriften met kleine ruitjes. (In Nederland zijn de schriften met 1 cm^2 ook op A4-formaat beschikbaar.)

Tips bij de schrijfmotoriek

1. Leren schrijven is een ingewikkeld gebeuren dat heel wat van de kinderen vraagt. Als leerkracht kun je het de kinderen met motorische problemen makkelijker maken. Ook hier is het belangrijk dat je het aangeboden blad niet overvol aanbiedt. Laat het kind liever proberen om drie regels netjes te schrijven dan dat hij minuscuul moet zwoegen op tien regels. Vergroot in het begin de lijnen zodat de leerling die het moeilijk vindt om zich op het blad te oriënteren en daarbij ook motorisch zwakker is, ruimte heeft om de schrijfbewegingen te oefenen. Ook bij het oefenen van de schrijfpatronen kun je eerst beter drie keer een patroon laten schrijven dan de motivatie wegnemen door

een blad met veertig keer een schrijfpatroon aan te bieden. Als het kind voelt dat het toch lukt, zal hij gemotiveerd blijven en meer patronen willen schrijven.

2. De methode 'schrijfdans' deel 1 en deel 2 van Ragnild A. Oussoren is een goed hulpmiddel om leerlingen te helpen bij de ontwikkeling van hun fijne motoriek. Ook andere schrijfmethoden kunnen hulp bieden. Als na een periode van intens oefenen het geschrift zwak blijft, kan de leerling er baat bij hebben om te leren werken met de computer.

Tips bij het vak taal

1. Voor het oefenen van woordpakketten kan de computer ingeschakeld worden. Belangrijk hierbij is dat de manier van oefenen overeenstemt met de manier van toetsing. Een andere mogelijkheid is om te werken met flitskaartjes: het woord staat op een kaartje geschreven en dit wordt heel kort aan de leerling getoond. Deze verklankt het woord spellend. Dit werkt beter dan opschrijven, aangezien een kind met NLD verbaal veel meer leert dan wanneer hij het woord moet opschrijven.
2. Specifiek voor het vak Frans: bied de grammatica aan op een overzichtelijke, gestructureerde wijze, bijvoorbeeld op kaartjes of in een schriftje. Doe het liever niet schematisch, maar maak wel gebruik van volzinnen die samen met de leerling verbaal worden doorgenomen en geoefend. Laat hem ook gebruikmaken van de kaartjes/het schriftje bij het oplossen van toetsen en taken.

Tips bij het vak lichamelijke opvoeding

1. Om de leerling te helpen om zich zowel op ruimtelijk als op sociaal vlak te ontwikkelen, is er de 'bewegingsmethode' van Veronica Sherborne. Ook andere bewegingsmethoden kunnen helpen.
2. Belangrijk is dat de leerkracht lichamelijke opvoeding op de hoogte is van het motorische probleem. Bij jonge kinderen kan het aan- en uit-

kleden problemen opleveren. De gymleerkracht kan deze opvangen door bijvoorbeeld de kleren al goed klaar te leggen (niet binnenstebuiten en in de juiste volgorde) of door de leerling niet te veel aan te porren of op te jagen.

Voor de tienerleeftijd (ouder dan 12 jaar)

Advies vooraf

Het is belangrijk om ook de tips hiervoor, bij de schoolleeftijd, even door te nemen. Veel van de aangereikte items zijn direct toepasbaar bij leerlingen in het secundair of voortgezet onderwijs. Het grootste verschil met de basisschool is de verscheidenheid aan vakken en leerkrachten, maar ook de specifieke kenmerken van deze leeftijdsfase. Ondanks hun vlotte babbel hebben kinderen met NLD in de puberteit het moeilijk om aan de gestelde eisen te voldoen. Verwachtingen moeten expliciet en sterk verbaal worden ondersteund. Ze hebben het moeilijk met non-verbale vanzelfsprekendheden. Ze hebben meer behoefte aan een persoonlijke begeleiding. Afspraken die andere pubers als van nature kennen, zijn voor hen veel moeilijker te vatten. Het duurt bij deze kinderen veel langer dan bij anderen om te voldoen aan het verwachtingspatroon dat de school heeft. Ze hebben behoefte aan het krijgen van overzichtelijke taken en afspraken. Belangrijk hierbij is dat het hele leerkrachtenteam op de hoogte is van het leerprobleem en dat de leerkrachten eenduidige afspraken maken over aanpak en begeleiding. Het is dus noodzakelijk dat alle partijen op dezelfde manier met de leerling in kwestie omgaan.

Vakoverschrijdende tips

1. Probeer een mentor aan de leerling toe te wijzen, een vaste figuur die de leerling wegwijs maakt in het schoolgebouw, het lesrooster,

het schoolreglement enzovoort. Deze persoon is het vaste baken in het schoolgebeuren. Als je weet dat leerlingen met NLD het moeilijk hebben met de vele veranderingen die het secundair of voortgezet onderwijs meebrengt, besef je dat deze persoon het vertrouwen moet kunnen krijgen van en geven aan de leerling.

2. De mentor kan ook worden ingeschakeld om sociale regels en afspraken te bespreken. Het is noodzakelijk om sociale situaties te analyseren en samen te zoeken naar gepast gedrag.
3. Moedig het opzoeken van en het contact leggen met leeftijdgenoten aan. Door zijn tekort aan sociaal inlevingsvermogen vindt het kind met NLD het moeilijk om aansluiting te vinden bij leeftijdgenoten.
4. In de klas is het misschien mogelijk om voor de leerling een buddy te zoeken. Deze buddy kan zijn medeleerling ondersteunen bij het juist invullen van de agenda en ervoor zorgen dat hij of zij weet wanneer en waar de volgende les wordt gegeven (ideaal zou zijn als het wisselen van lokalen tot een minimum werd beperkt).
5. Om de leerling te helpen zijn agenda juist in te vullen is het raadzaam dit te doen in het begin van de les. Als hij zijn agenda aan het einde van een les moet invullen, doet hij of zij het als gevolg van de tijdsdruk misschien verkeerd of helemaal niet.
6. Maak met het leerkrachtenteam een aantal afspraken over de te volgen procedure bij onder andere het geven van taken, het maken en verbeteren van toetsen en examens, het beoordelen en tot orde roepen van de leerling enzovoort.
7. Bedenk als leerkracht dat het te laat of zelfs niet inleveren van een taak niet altijd wijst op onwil, maar dat een aantal leerlingen met NLD het moeilijk vindt om gestructureerd te werken. Ze verliezen soms letterlijk het zicht. In dat geval is het noodzakelijk om regelmatig samen met de leerling strategieën te zoeken om hem te helpen het overzicht te houden.
8. Leer de leerling onderscheid te maken tussen hoofd- en bijzaken. Een markeerstift is daarbij een handig hulpmiddel. Maar bedenk dat een kind met NLD meer dan een andere leerling tijd nodig heeft om deze

werkwijze te automatiseren. Maak tijd om geregeld zijn leerhouding te bespreken en laat hem mee naar oplossingen zoeken om zich te verbeteren.

9. Probeer op schoolniveau tot overeenstemming te komen over wat de leerling voor welk vak nodig heeft en trek daarin één lijn. Dat kan bijvoorbeeld gaan om eenzelfde formaat schriften en/of kaften voor één vak in een bepaalde kleur (bijvoorbeeld wiskunde is rood, Nederlands is blauw).
10. Ga op zoek naar leerboeken en -methodes die aansluiten bij de sterke kanten van een kind met NLD. Daarmee bedoelen we dat de leerstof ontdaan moet zijn van alle franjes. Te visuele methodes zijn moeilijk te begrijpen voor een kind met NLD. Naakte feiten en cijfers zijn beter te vatten. Belangrijk hierbij is dat je ervoor moet oppassen dat elk leerboek een duidelijke inhoudsopgave heeft, zodat de leerling snel en makkelijk het gevraagde leerstofonderdeel kan opzoeken. Ook zoekwijzers en onthoudbladen kunnen handig zijn.
11. Vermits een aantal jongeren met NLD moeilijk leesbaar schrijft, maar ook soms moeilijk of fout begrijpen wat in het antwoord op een vraag wordt verwacht, kan het interessant zijn om hem/haar de kans te geven een toets, examen of taak mondeling toe te lichten. Het geeft de leerkracht ook de kans om dieper op de stof in te gaan, en meer naar de inhoudelijke dan naar de feitelijke kant te vragen. Een leerling met NLD vindt het immers moeilijk om tussen de regels door te lezen.
12. Aanvaard dat een kind met NLD zijn wereld verbaal moet ontdekken en verklaren. Wees daarom tolerant als de leerling veel vragen stelt, zelfs al lijken ze niet ter zake. Leer hem om gericht vragen te stellen zodat hij zichzelf niet verliest in details. Spreek met de leerling een vast moment voor of na de les af waarop hij zijn vragen of verhaal kwijt kan. Leer de leerling wanneer het juiste moment gekomen is om iets te vragen of te zeggen.
13. Check regelmatig schriften en agenda om te controleren of de leerling nog met alles bij is. Sta hem toe om, indien nodig, kopieën te maken van aantekeningen van medeleerlingen of van de leerkracht.

Zo kan de leerling zich concentreren op de leerstof (die hij verbaal opslaat) en hoeft hij geen tijd te verliezen met het controleren of alles is opgeschreven. Het komt het leren alleen maar ten goede.

14. Wees eenduidig in het geven van opdrachten: als je bijvoorbeeld lesgeeft op de computer, neem dan ook een toets af op de computer (en dat geldt ook voor het leren en werken op papier).

Tips bij het vak wiskunde

1. Sommige onderdelen van wiskunde kunnen moeilijkheden geven, onder andere meetkunde, rekensymbolen, formules en toepassingen van formules. Hou hier rekening mee.
2. Streef ernaar om de theorie overzichtelijk en gestructureerd aan te bieden.
3. Verbaliseer werkmethodes en wiskundige regels.
4. Bespreek de fouten en zoek samen naar vaste oplossingsprocedures.
5. Besteed meer tijd om het gebruik van meetkundig materiaal uit te leggen. Zoek naar materiaal dat niet rolt of schuift.
6. Trek geen punten af als de leerling cijfers niet correct onder elkaar schrijft of ze in een verkeerde kolom zet. Het opschrijven van sommen heeft meer te maken met ruimtelijke oriëntatie en motoriek dan met rekenen op zich. Laat de leerling zijn oefeningen verbaal verklaren en leer hem oplossingsstrategieën aan.
7. Geef de leerling de mogelijkheid om de gevraagde opdrachten hardop te lezen. Het vergemakkelijkt het begrijpen van de inhoud. Ook bij het oplossen van een rekenkundige bewerking is verbale ondersteuning een goed hulpmiddel.
8. Tolereer en stimuleer het gebruik van een rekenmachine.
9. Een leerling met NLD vindt het heel moeilijk om de essentiële gegevens uit een vraagstuk te halen. Vertel de belangrijkste gegevens daarom op een duidelijke manier aan de leerling. Begeleid hem om deze op een gestructureerde manier aan te duiden (gebruik markeerstiften).

Tips bij taalvakken

1. Beperk de schrijftaken. Schakel daarvoor de computer in. Stimuleer de leerling om bijvoorbeeld een cursus typen te volgen.
2. Weet dat de leerling het bij een boekbespreking heel moeilijk vindt om de achterliggende bedoeling van de schrijver te ontdekken. Stimuleer het inzichtelijk benaderen van een tekst door de leerling mondeling te ondervragen op feiten en anderzijds gericht te zoeken naar mogelijke dieperliggende verbanden en bedoelingen in een tekst of boek.
3. Leer de leerling om de belangrijkste informatie aan te geven met een markeerstift. Dit maakt het voor hem gemakkelijker om de hoofdzaken snel terug te vinden.
4. Het verklaren, begrijpen en gebruiken van beeldspraak is voor een kind met NLD moeilijk. Hij of zij begrijpt alles letterlijk. Gebruik wel beeldspraak, maar verklaar de bedoeling van spreekwoorden en dergelijke en leer het kind onderscheid te maken tussen letterlijke en figuurlijke taal.
5. Zorg voor een gestructureerd overzicht van spraakkunst. Vooral Frans en Duits zijn moeilijke talen met veel spellingregels. Engels daarentegen is een veel logischere taal en zal veel minder moeilijkheden geven.

Tips bij het vak aardrijkskunde

1. Gebruik taal om aardrijkskundige namen uit het hoofd te leren, bijvoorbeeld: 'België lijkt op een driehoek' of 'De IJzer lijkt wel een stukje uit Vlaanderen te willen snijden'. Gebruik deze verwijzingen ook wanneer de leerling de ligging van deze plaatsen op een kaart moet leren. Stimuleer de leerling om bij het oefenen van namen ook deze vorm van associatie te gebruiken.

2. Het gebruik van blinde kaarten is af te raden. Indien het niet anders kan, geef de leerling dan kaartjes met de namen en laat hem die op de blinde kaart leggen. Dit om het geheugen minimaal te belasten.
3. Besteed vooral veel tijd aan het leren werken met een atlas.
4. Maak gebruik van kleuren om rivieren, plaatsnamen en streken uit het hoofd te leren en weer te geven. Nog beter is om per gevraagd onderdeel een andere kaart te hebben, bijvoorbeeld een kaart waarop alleen rivieren in één kleur zijn aangegeven en een tweede kaart waarop alleen de gebieden zijn ingekleurd. Dit helpt de leerling met NLD om overzicht te houden.
5. Is het noodzakelijk om alle rivieren, plaatsnamen, streken, enzovoort uit het hoofd te leren? Vraag je af of het niet zinniger is om de leerling gericht te leren werken met een atlas dan eindeloos te zwoegen op het memoriseren van namen en deze dan ook nog te kunnen aanwijzen op een kaart.
6. Zorg ervoor dat eenzelfde soort kaarten gebruikt wordt in het leerboek, op wandplaten, in het werkschrift en op de computer.
7. Probeer dezelfde symbolen te gebruiken in het leerboek, op het bord en in het werkschrift.

Tips bij het vak geschiedenis

1. Stel naast inzichtelijke vragen ook feitenvragen.
2. Ondervraag mondeling zodat je naast de feitenvragen ook vragen kunt stellen die de leerling verplichten verbanden te leggen. Begeleid hem hierin, gebruikmakend van een stapsgewijze methode.
3. Gezien zijn tekort op ruimtelijk-visueel vlak is het voor deze leerling extra moeilijk om te leren aan de hand van schema's met pijltjes en veel onderverdelingen. Ook het leren werken met een tijdslijn is niet vanzelfsprekend. Geef de leerling bij twijfel de kans om zijn werk, toets en examen mondeling toe te lichten.

Tienpuntenbeleid voor scholen – een voorstel van de NLD-vereniging

Hierna volgt een voorbeeld van een mogelijk beleid op school voor kinderen met NLD. De bedoeling is dat ouders, samen met directie, leerkrachten en begeleidingsdiensten (CLB en andere diensten), afspreken welke ondersteunende maatregelen er voor hun kind worden genomen. Niet elk punt is van toepassing op of noodzakelijk voor een kind met NLD. Het is slechts een lijst van mogelijkheden waarop kan worden aangegeven wat voor dat bepaalde kind wordt ondernomen.

Op basis van de informatie aan de school verstrekt en met het oog op de specifieke problematiek (__________________) worden voor de leerling _____________ volgende maatregelen getroffen als ondersteuning om de leer- of ontwikkelingsproblemen op te vangen. Alle informatie valt onder het beroepsgeheim van de leerkrachten en directie.
Er wordt overeengekomen dat dit attest met dispenserende en compenserende maatregelen een aanvullende toepassing is van het schoolreglement en dat de leerling en ouders de tegemoetkomingen van de school weten te appreciëren door er zorg voor te dragen dat de schoolse resultaten (voor niet door het hiervoor vermelde probleem betroffen kennisgebieden, vaardigheden en attitudes) op een behoorlijk niveau liggen. Om in aanmerking te komen voor het tienpuntenbeleid beoordeelt de klassenraad (leerkracht, directie, CLB, zorgcoordinator) op basis van de beschikbare gegevens zowel wat betreft schoolse resultaten, resultaten LVS, logopedische verslagen, onderzoeken van externe deskundigen en bijbehorende gemotiveerde verslagen, als de informatie verkregen vanuit de ouders. Het tienpuntenbeleid kan herroepen of aangepast worden na de beslissing van de klassenraad en mits het

schriftelijk meegedeeld wordt aan de ouders. Het staat de leerkracht vrij om in samenspraak met de ouders verder gevolg te geven aan extra aanbevelingen, niet bevat in het tienpuntenbeleid.

Geef aan wat voor deze leerling van toepassing is:

1. De leerling komt in aanmerking om gebruik te maken van een tafelkaart, telraam, rekenmachine, vergrotingen van de rekenmethode, cijferschriften met grote ruiten (1 cm^2) (omcirkel wat van toepassing is).
2. De leerling komt in aanmerking om schrijftaken tot het strikte minimum te beperken en om taken (oefening woordpakket, opstel enzovoort) op de computer te maken.
3. Bij toetsen worden vragen voorgelezen of mag de leerling deze hardop lezen en hardop oplossen. De leerling krijgt meer tijd voor het maken van toetsen en proefwerken. Bij toetsen voor rekenvakken en WO (aardrijkskunde) krijgt de leerling kans om deze mondeling toe te lichten.
4. Schrijffouten in cijfers (omkeringen) worden in een toets slechts eenmaal in mindering gebracht. De volgorde van getallen wordt wel meegeteld.
5. De leerling heeft de mogelijkheid notities te controleren of aan te vullen door kopieën van medeleerlingen of leerkracht te gebruiken.
6. De leerling komt in aanmerking om huiswerk tijdelijk te stoppen.
7. De leerling komt in aanmerking om het aantal te maken oefeningen te beperken.
8. De leerling komt in aanmerking om bij een conflict een emotionele time-out te krijgen.
9. De leerling komt in aanmerking om zijn sterke kanten te ontplooien in de kangoeroeklas, bij niveaulezen, bij differentiatieoefeningen voor het vak ..., bij het mondeling voorbrengen van ... (omcirkelen en aanvullen).

10. Het invullen van de agenda wordt gecontroleerd door de leerkracht of zorgcoördinator.

Directie Ouders/leerling CLB-medewerker Leerkracht

7 •• VOLWASSENEN MET NLD

In de literatuur zijn tot op heden weinig gegevens te vinden over volwassenen met NLD. In België en Nederland is er weinig tot geen onderzoek verricht naar deze groep. De oorzaak hiervan ligt grotendeels in het feit dat diagnosestelling van NLD hier nog vrij jong is. Zoals ook bij andere stoornissen het geval was, dient er zich nog een groeiproces te voltrekken. NLD wordt nu vooral gediagnosticeerd bij kinderen. Zodra deze groep de volwassen leeftijd heeft bereikt, zullen er ook veel meer en betrouwbaardere gegevens beschikbaar zijn. Ook de expertise binnen de hulpverlening inzake volwassenen met NLD is momenteel in België en Nederland nog veel te klein om representatief te zijn.

In bijvoorbeeld Noord-Amerika is NLD al langer bekend en de groep volwassenen met de diagnose is daar procentueel dan ook groter. Daar bestaan op internet ook verschillende forums voor volwassenen met NLD.

Om zicht te krijgen op de problemen en mogelijkheden, ondervroegen we jongvolwassenen en volwassenen met NLD.

Bij volwassenen (ouder dan 20 jaar) bleken er twee belangrijke stromingen te zijn:

- een kind krijgt de diagnose NLD, waarna ook de ouder zich laat diagnosticeren;
- men komt om sociaal-emotionele problemen in de hulpverlening terecht, waarna de diagnose NLD wordt gesteld.

De diagnosestellingen van de ondervraagde groep zijn allemaal zeer recent: alle diagnoses werden, op één uitzondering na, de laatste drie jaren gesteld. Volwassenen komen ook duidelijk terecht bij gespecialiseerde artsen en teams.

Bij jongvolwassenen (jonger dan 20 jaar) zijn problemen binnen het onderwijs vaak een eerste indicatie. Bij deze groep werden de eerste diagnoses acht jaar geleden gesteld. De diagnosestelling is hier veel diffuser: Centra voor Leerlingenbegeleiding, schoolpsychologen en leerkrachten stellen blijkbaar ook de diagnose. Een groot aantal kwam echter ook terecht bij revalidatiecentra, Diensten Geestelijke Gezondheid en gespecialiseerde centra met multidisciplinaire teams.

De hierna volgende beschrijvingen zijn zeker niet als wetenschappelijk gegeven te lezen. De groep volwassenen met de diagnose NLD is momenteel nog te klein om definitieve uitspraken te doen.

Ook werd de vragenlijst voornamelijk via internet verspreid, waardoor vooral die mensen zijn bereikt die toegang tot een computer hebben.

Hierna volgt een weergave van wat mensen met NLD aangeven als zijnde hun problemen en sterktes. Zoals voor iedereen geldt, zijn ook mensen met NLD allemaal op zich uniek. We schetsen hier slechts de grote lijnen die mensen met NLD aangeven.

Onderwijsloopbaan

Bij navraag naar de gevolgde en afgemaakte studierichting was een grote verscheidenheid te zien, zowel in België als in Nederland. Alle verschillende onderwijsniveaus zijn vertegenwoordigd, zowel buitengewoon of speciaal onderwijs als vervolgonderwijs, al of niet op universitair niveau.

Velen hebben een zoektocht achter de rug naar een geschikte onderwijsrichting en de grootste groep beëindigt de schoolloopbaan met een diploma secundair onderwijs (havo) in een technische of algemeen vormende opleiding. Later volgen velen nog andere opleidingen, maar ze stoppen daar uiteindelijk mee. Een beperkt aantal behaalt een diploma op universitair of hogeschoolniveau.

Mensen met NLD behaalden diploma's in verschillende richtingen: schoonheidsspecialist, tolk-vertaler, journalistiek, secretariaat/talen, logopedie, economie/moderne talen, pr, onderwijs, decoratietechnieken, secretariaatsmanagement, hostess, jeugd- en gehandicaptenzorg, pedagogie, kinderverzorging... Vooral de talen en secretariaatsrichtingen kwamen vaak terug.

Telkens bleken dezelfde problemen de kop op te steken:

- De theorie loopt goed, de praktijk gaat moeizamer.
- Het tempo en de concentratie zijn vaak een struikelblok.
- Plannen is moeilijk.
- De tijdsdruk om taken af te werken is te hoog: door het tragere werktempo zijn taken niet op tijd klaar.
- Het organisatorische aspect zorgt vaak voor problemen: boeken worden vergeten, verslagen zijn onoverzichtelijk...
- Vooral de wiskundige vakken zorgen voor problemen.
- Stages verlopen vaak aanvankelijk zeer moeilijk.

Vooral bij stages was er sprake van ernstige problemen. Vaak zijn de verwachtingen van begeleiders hoog. Mensen krijgen weinig inwerktijd en daar wringt vaak de schoen. Mensen met NLD hebben behoefte aan routine en hebben tijd nodig om die routine onder de knie te krijgen. Vaak worden er bij stages te veel verschillende dingen in één keer verwacht en dit komt ontzettend chaotisch over. Mensen met NLD raken dan 'de weg kwijt'. Ook het niet expliciet stellen van verwachtingen door de stagebegeleiders zorgt voor problemen. De onduidelijkheid zorgt vaak voor onzekerheid, wat funest is voor het verdere verloop van de stage.

Uit de ondervraging blijkt dat, indien mentoren op de hoogte zijn van het probleem en alles stap per stap aanbieden, het wel kan lukken. Men heeft dan de tijd om structuur te leren zien en om een routine te ontwikkelen. Het langzaam opbouwen van de taken is dan ook noodzakelijk. Ook is het noodzakelijk om zeer duidelijke verwachtingen te stellen. Impliciete boodschappen worden niet altijd begrepen. Als mensen tijd krijgen om hun zelfvertrouwen te laten groeien – iets wat nauw samenhangt met het stap voor stap aanbieden en met het expliciet stellen van verwachtingen – verminderen de problemen en kan de stage vlot verlopen.

Een andere nuttige tip is de stageperiode verlengen. Zo wordt ruimte gecreëerd voor een langere inwerkperiode.

Het systeem van modules, zoals dit momenteel wordt toegepast in het hoger onderwijs, wordt door mensen met NLD als zeer positief ervaren.

Werk

Het merendeel van de volwassenen met NLD heeft werk gevonden. Een kleine groep vindt geen vaste job of heeft te ernstige emotionele problemen om aan het werk te gaan. Toch loopt niet alles altijd van een leien dakje.

Vaak gemelde problemen zijn:

- Het werktempo is, zeker bij de start, laag.
- Tijdsplanning is moeilijk.
- Men is onzeker en weet niet wat collega's denken.
- Men is onhandig.
- Nieuwe zaken aanleren vraagt veel tijd.
- In het begin wisselt men vaak van werk, waarna men uiteindelijk toch een vaste baan vindt.

Na een vaak moeilijke start ontstaat er toch een routine, waardoor het werktempo stijgt. Alhoewel men zich dan handhaaft op het werk, blijft het voor velen toch een grote stressfactor.

Een aantal mensen met NLD heeft problemen met overzicht houden en structuur aanbrengen. Degenen die, juist omdat ze weten dat zich daar een probleem voordoet, zeer systematisch ordening en structuur aanbrengen, vinden daarin na verloop van tijd hun sterkte. Mensen met NLD ondervinden hinder wanneer de structuur en richtlijnen te vaag zijn. Zij kunnen dit ook duidelijk aangeven, waarna er kan worden bijgestuurd. Een aantal mensen met NLD wordt op het werk ingeschakeld om nieuwe procedures te bekijken, te evalueren en bij te sturen.

Sociale contacten

Opvallend is dat vooral jongere mensen melden dat ze weinig sociale contacten hebben. Vaak willen ze wel contact, maar lukt het maar moeilijk om dit te behouden. De meeste mensen hebben een paar goede vrienden die hen begrijpen en aanvaarden. Deze acceptatie is voor hen erg belangrijk.

Veel mensen melden onzekerheid op sociaal gebied. Ze twijfelen sterk aan zichzelf en spreken ook letterlijk van 'faalangst'. Een aantal jongeren met NLD zegt ook geen boodschap te hebben aan het 'zinloze gepraat' en 'gelummel' van hun leeftijdgenoten.

Opmerkelijk is verder dat de diagnosestelling toch dingen lijkt te veranderen: doordat ze de oorzaak van hun problemen kennen, weten ze eindelijk waarom sociale contacten moeizaam verlopen. De schaamte (waar letterlijk melding van wordt gemaakt) valt weg. Daardoor wordt men blijkbaar zelf(ver)zekerder en krijgt men inderdaad ook meer sociale contacten. Hierdoor stijgt de sociale vaardigheid en is het makkelijker contacten te behouden.

De iets oudere volwassenen melden dat ze geen problemen meer hebben met sociale contacten.

Opmerkelijk is ten slotte dat slechts enkele mensen actief blijken te zijn in het verenigingsleven.

Dagelijks leven

Er wordt weinig melding gemaakt van dagelijkse problemen, wat echter niet wil zeggen dat ze er niet zijn. Vooral tijdsbesef en chaotisch zijn in huis komen vaak terug. Ook de papierwinkel is vaak niet te overzien. Een aantal mensen kent het eigen probleem zeer goed en heeft tijdelijk hulp gezocht om alles te structureren en in orde te brengen. Nu handhaven ze de structuur probleemloos zelf en stellen dat daarmee een belangrijke stressfactor verdwenen is.

Van motorische onhandigheid in het dagelijks leven wordt weinig melding gemaakt.

Verkeer

Voor een gering aantal mensen blijkt het verkeer blijvend ernstige problemen op te leveren. Het merendeel van de volwassenen behaalde wel hun rijbewijs. Het theoretisch examen verliep over het algemeen vrij vlot, maar bij het praktijkgedeelte kwamen opmerkelijk verschillende resultaten naar boven: van één tot zes pogingen. Een enkeling probeerde het, maar haalde het uiteindelijk nooit.

Manoeuvres zijn niet altijd eenvoudig. Parkeren met behulp van de spiegels blijkt niet eenvoudig te zijn.

De meeste mensen melden dat ze vooraf de weg altijd goed uitstippelen en dat ze tijdig vertrekken. Een aantal mensen rijdt meestal in een vertrouwde omgeving, waar ze geen problemen ondervinden. In een onbekende omgeving is het blijkbaar moeilijk om bewegwijzering en wegmarkeringen correct te interpreteren en raakt men snel de weg kwijt. Oriëntatie via een plattegrond levert ook regelmatig problemen op.

Na lange tijd verminderen de problemen en verloopt het autorijden vlotter.

Een enkeling ondervond vanaf het begin geen enkel probleem bij het autorijden.

Begeleiding

Vooral de jongvolwassenen kregen in het verleden een of andere vorm van begeleiding. De genoemde begeleiding bestond uit logopedie, ergotherapie, sensomotorische begeleiding, sociale vaardigheidstraining, fysiotherapie, begeleiding vanuit de school, psychologische begeleiding en/of psychiatrische begeleiding. Ze geven aan dat de begeleiding geen zicht had op het probleem van NLD en dat ze daardoor nog onzekerder werden. Als er wel gericht werd gewerkt, werd de begeleiding als positief ervaren.

Bij de volwassenen met NLD is begeleiding veel minder aan de orde. Als er al sprake van is, betreft het meestal psychologische of psychiatrische begeleiding. Een enkeling wordt op het werkvlak ondersteund door Arbeids Traject Begeleiding, een Belgisch overheidsinitiatief om mensen te ondersteunen op het gebied van werk.

Positief nieuws

Mensen met NLD hebben ook duidelijk sterke kanten, die echter weinig benadrukt worden. Natuurlijk is ieder mens anders, zo ook mensen met NLD. Toch zijn er enkele sterke punten die vaak terugkomen:

- talen;
- zelfdiscipline;
- doorzettingsvermogen;
- sterk in het ontwikkelen van oplossingen om de zwakkere kanten te compenseren;
- geduldig;
- goed kunnen luisteren;
- goed muzikaal gehoor;
- oog voor detail;
- vriendelijkheid;

- goed geheugen;
- grote inzet;
- eerlijk;
- schrijven en dichten.

Tips

Volwassenen met NLD hebben door hun ervaring al een hele weg afgelegd en hebben vaak voor zichzelf oplossingen moeten zoeken om hun zwakkere kanten te compenseren. Ze zijn vaak ook bereid om anderen op weg te helpen.

Het belang van een vroege diagnose wordt vaak onderstreept. Veel volwassenen betreuren het dat ze niet veel vroeger wisten dat ze NLD hebben. Zo hadden ze er, naar eigen zeggen, veel sneller mee leren omgaan en hadden ze, door de dingen te doen op een manier waardoor ze wel lukken, veel problemen kunnen voorkomen.

Ook hebben verschillende volwassenen steun aan elkaar. Er is wederzijds begrip en herkenning.

Hierna volgen wat tips, aangereikt door volwassenen met NLD:
- Een eerste tip is bedoeld voor mensen die geen NLD hebben: iemand met NLD spant zich in stilte enorm in. Weet, aanvaard en apprecieer dit, ook al is voor jou de inspanning niet zichtbaar.
- Een zeer vaak terugkomende opmerking is dat je zeker van jezelf moet zijn en in jezelf moet geloven. Mensen moeten je nemen zoals je bent, met je sterke en minder sterke kanten. Blijf jezelf en laat je niet onderuithalen door een mislukking.
- Steek geen energie in dingen die nooit lukken. Ook anderen kun je niet veranderen. Stoot je op onbegrip, weet dan dat dit te wijten is aan onwetendheid en dat dit niet jouw probleem is. Verspil geen negatieve energie aan mensen die je niet aanvaarden zoals je bent.

- Erken je beperkingen en je sterke punten. Je bent vanwege je beperkingen niet dom. Isoleer je niet maar zoek een manier waarop je de beperkingen kunt omzeilen of ermee kunt omgaan.
- Zoek voor korte tijd hulp om je papierwerk, je huis enzovoort te ordenen en te structureren. Handhaaf deze structuur daarna. Het brengt rust.
- Ga, om je te oriënteren, bewust op zoek naar herkenningspunten.
- Bereid je voor als je naar een voor jou onbekende plaats moet. Stippel vooraf de weg uit en vertrek tijdig.
- Voor mensen die onderwijs volgen: zoek een opleiding met weinig wiskunde. Leer hardop en maak een planning. Zoek hiervoor hulp, indien nodig. Meld ook je probleem aan de schoolbegeleiding of aan je stageplaats. Schaam je hier niet voor. Iedereen heeft af en toe hulp nodig. Het helpt om onbegrip en problemen te voorkomen.
- Ken je eigen sterktes en zwaktes en aanvaard deze.
- Gebruik consequent een agenda.
- Vraag, indien mogelijk, op je werk of opleiding van tevoren naar de komende opdrachten. Zo heb je meer voorbereidingstijd.
- Noteer elke opdracht die je krijgt in een schriftje.
- Leg de lat voor jezelf niet te hoog. Stel haalbare doelen.
- Laat NLD niet je hele leven beïnvloeden. Laat je beperkingen je niet hinderen in je zelfontplooiing en gebruik het ook niet als excuus.
- Gun jezelf de tijd om routine op te bouwen. Eis die tijd ook op in je omgeving. Oefening baart inderdaad vaak kunst. Ook op sociaal vlak kan dit werken. En zoals Mieke het uitdrukt: 'Blijf jezelf! Er zijn al zoveel anderen...'

Je bent zo mooi
anders
dan ik

Natuurlijk
niet meer
of minder

Maar
zo mooi
anders

Ik zou je
nooit
anders dan
anders
willen

Hans Andreus
Uit *Verzamelde gedichten* (Bert Bakker, Amsterdam 2001)

ADRESSEN EN WEBSITES

- **De Vlaamse NLD-vereniging**

  Deze vereniging, die werkt met vrijwilligers, maar waarin ook leerkrachten actief zijn, verschaft informatie over NLD en geeft op aanvraag ook lezingen. Ouders en begeleiders kunnen hier ook terecht voor adressen voor diagnose en therapie. De Vlaamse NLD-vereniging heeft praatgroepen, verspreid over Vlaanderen en organiseert regelmatig ontmoetingsdagen voor volwassenen. Op de website is er een forum waar men terechtkan om ervaringen te delen, vragen te stellen,...

  Het secretariaatsadres voor Vlaanderen is:
  NLD-vereniging vzw
  Wandelpad 4
  2242 Pulderbos (Zandhoven)
  www.nld.be
  info@nld.be
  tel.: 03/288.40.02, op dinsdagavond is er permanentie gegarandeerd.

- **De Nederlandse NLD-vereniging**

  De Nederlandse collega van de Vlaamse NLD-vereniging is de Stichting Speciale Zorg voor Kinderen met NLD.
  Brasemkolk 2
  8017 NV Zwolle
  www.nldinfo.nl

- **Centrum ZIT STIL vzw**
  Het Centrum ZIT STIL is een kennis- en expertisecentrum voor ADHD en legt zich al meer dan 20 jaar toe op de ontwikkeling van kennis en op de overdracht van informatie met betrekking tot een specifieke doelgroep, met name personen met ADHD. Het centrum werd in 1981 opgericht door ouders en zijn werkgebied bestrijkt heel Vlaanderen. Je kunt ZIT STIL bereiken op volgend adres:
  Centrum ZIT STIL
  Heistraat 321
  2610 Wilrijk
  www.zitstil.be
  info@zitstil.be
  tel.: 03/830.30.25
  fax: 03/825.20.72

- **Sprankel**
  Sprankel is een oudervereniging voor kinderen met leerproblemen. Het secretariaatsadres voor Vlaanderen is:
  Ullenshofstraat 11 bus 2
  2170 Merksem
  www.sprankel.be
  secretariaat@sprankel.be
  tel./fax: 03/289.78.58

- **Vlaamse Vereniging Autisme**
  VVA vzw
  Groot Begijnhof 14
  9040 Gent (Sint-Amandsberg)
  www.autismevlaanderen.be
  vva@autismevlaanderen.be
  tel.: 078/152.252
  fax: 09/218.83.8

– **Landelijke Vereniging Balans**

Deze vereniging bestaat al zo'n 13 jaar en telde in oktober 2000 al bijna 20.000 leden. Balans is een vereniging voor personen met ontwikkelings-, gedrags- en leerproblemen. Van oorsprong is het een oudervereniging, maar men richt zich steeds meer op de kinderen en jongeren zelf. Belangrijke aandachtsgebieden zijn dyslexie en ADHD, maar andere problemen zoals NLD, dysfatische ontwikkeling en PDD-NOS worden zeker niet vergeten. Meer informatie over activiteiten, contributie, het tijdschrift Balans Belang en afdelingen in de buurt, is te vinden op de website van Balans: www.balansdigitaal.nl.

Het adres van Balans is:
Landelijk Bureau Balans
Postbus 93
3720 AB Bilthoven
tel. 030/225 50 50
fax 030/225 24 40
e-mail voor administratieve zaken: info@balansdigitaal.nl
e-mail voor inhoudelijke zaken over Balans Belang en dergelijke: redactie@balansdigitaal

VERDER LEZEN

- Cuvelier, F. (1998). *Sociaal vaardig? Lieve deugd.* Brugge: Die Keure.
Kinderen leren met andere kinderen en met grote mensen om te gaan zoals zij hun moedertaal leren: al doende, al spelende, intuïtief, onbewust en zonder duidelijke methodiek. De moedertaal wordt bijgeschaafd, ontwikkeld, verrijkt. Deze gids biedt beelden en een taal die aansluit bij de vertrouwdheid van kinderen met de karakters uit de dierenwereld.
  Ouders, leerkrachten en opvoeders zullen heel wat opsteken van het lezen en toepassen van wat er in de gids staat.

- Peerlings, W. (2004). *Mijn kind is onhandig. Omgaan met visuomotorische problemen.* Tielt: Lannoo.
Waarom maken sommige kinderen niets dan hanenpoten of hebben ze problemen met puzzelen en tekenen? En waarom kunnen ze nooit eens netjes eten met mes en vork? Gedrag dat vroeger 'onhandig' werd genoemd, wijst vaak op een dieperliggende, ernstigere oorzaak: het zijn in vele gevallen deze kinderen die ook leerproblemen hebben. In dit boek gaat de auteur in op de vraag hoe ouders en begeleiders kinderen kunnen helpen dit soort van visuomotorische problemen te lijf te gaan. Met een uitgebreid praktisch deel vol spelletjes, oefenmateriaal, tips en werkbladen, dat ouders helpt de vaardigheden van hun kinderen beter te ontwikkelen.

- Peerlings, W. (2006). *Hoe breng ik mijn kind structuur bij. Een gids voor ouders, leerkrachten en hulpverleners.* Tielt: Lannoo.
Steeds meer kinderen hebben moeite om hun leven te organiseren: hun kamer is een puinhoop, ze kunnen zich niet concentreren en vergeten honderd en een dingen. Maar ook ouders geven niet altijd het goede voorbeeld.

Dit boek helpt je om samen met je kind de dagelijkse taken gestructureerd aan te pakken. Een handig stappenplan zet je op een speelse manier op de juiste weg. Het resultaat? Gelukkiger en rustiger kinderen, een harmonieuzer gezinsklimaat en dus ook tevreden ouders!

- Verliefde, E., & Hermans, R. (2000). *Geef me de tijd. Kinderen met leerproblemen in de klas.* Leuven: Acco.
  Dit boek is een gids voor ouders en leerkrachten waarin staat hoe men bepaalde stoornissen kan signaleren. Er wordt aandacht besteed aan dyslexie, dysorthografie, dyscalculie, geheugenstoornissen, AD(H)D, NLD en autisme. De lezer krijgt voldoende informatie over de verschillende stoornissen, zodat hij of zij bepaalde problemen kan herkennen.

- Van Dijk, A. (2003). *Kinderen met NLD.* Lisse: Swets & Zeitlinger.
  De auteur verzamelde zo veel mogelijk informatie over NLD, waarbij ze veel praktijkvoorbeelden geeft die de theorie verduidelijken. Het boek bestaat uit drie delen: een algemeen deel waarin allerlei aspecten van NLD aan de orde komen, een deel voor de ouders en een deel waarin wordt beschreven hoe leerkrachten om kunnen gaan met NLD-kinderen.

- Molenaar-Klumper, M. (2002). *NLD signaleren, diagnosticeren en behandelen in de onderwijssetting.* Lisse: Swets & Zeitlinger.
  Puttend uit literatuuronderzoek en gebaseerd op een casus beschrijft de auteur de cognitieve, psychomotorische, sociaal-emotionele en ruimtelijk-inzichtelijke kenmerken van de stoornis. In de hoofdstukken 2 en 3 bespreekt zij de signalering en diagnosticering van NLD. In hoofdstuk 4 komen concrete behandelingsstrategieën voor de aanpak thuis en op school aan de orde.

- Vermeulen, P. (1996). *Dit is de titel. Over autistisch denken.* Gent: Vlaamse Dienst Autisme.
Dit boek is een reisverhaal, een kennismaking met die andere denkwereld, een soort plakboek over de soms vreemde gedachtekronkels die zo eigen zijn aan mensen met autisme. Net zoals in een reisverhaal wordt het geheel geïllustreerd met anekdotes. Ervaringen uit 'auti-land'.

- Baert, K. (2002). ADHD. *Op één spoor?* Leuven-Apeldoorn: Garant.
Aangezien NLD vaak samen voorkomt met ADHD, is dit boek een goede gids voor ouders en leerkrachten die meer willen weten over ADHD. De laatste jaren zijn er nieuwe inzichten gekomen. Eerst waarschuwt de auteur voor een soms te voorbarige conclusie dat een kind ADHD heeft, dan legt hij uit wat ADHD is en doorloopt hij de verschillende types, kenmerken, oorzaken, diagnosestappen en de specifieke aanpak van opvoeding en onderwijs aan deze kinderen. Ook medicatie komt aan bod.

- Ceyssens, M. (2002). *Ik reken fout – omgaan met rekenproblemen.* Tielt: Lannoo.
Een praktisch werkboek waarin de verschillende valkuilen en moeilijkheden bij het leren rekenen beschreven staan. Originele hulpmiddelen en overzichtelijke schema's helpen het kind een betere rekenmethode te ontwikkelen.

- Ceyssens, M. (2001). *Ik schreif faut.* Tielt: Lannoo.
Een praktisch werkboek waarin niet alleen staat wat dyslexie precies is, maar waarin vooral veel praktisch bruikbaar materiaal te vinden is: regels voor het omgaan met de knelpunten in de spelling en concrete tips voor thuis en in de klas.

- Oussoren, R. (1999). *Schrijfdans.* Steenwijk: Schrijfdans.
Een speelse methode om grove en fijne motoriek te oefenen. www.schrijfdans.nl

BIBLIOGRAFIE

- Bachot & König (2001). 'Behandeling van het kind met NLD.' In *Tijdschrift voor orthopedagogiek, kinderpsychiatrie en klinische kinderpsychologie. 26, (2/3)* (pp. 78-89).
- Bachot, J., Gevers, W., Fias, W., Roeyers, H. (2005). 'Number sense in children with visuo-spatial disabilities: orientation of the mental number line.' In *Psychology Science, 47* (pp. 172-183).
- Baert, K. (2001). *Superleerkrachten gevraagd! De onderwijskundige aanpak van werkhoudingsproblemen.* Leuven-Leusden: Acco.
- Baert, K. (2004). 'De onderwijskundige aanpak bij kinderen met ADHD. Een tweesporenaanpak?' In *Persoon en Gemeenschap, 56* (pp. 197-217).
- Baert, K. (2004). 'Werkhoudingsproblemen bij leerlingen. Een oplossing in zicht?' In *Persoon en Gemeenschap, 57* (pp. 55-75).
- Bash, M., & Camp, B. (1975). *Think aloud program: Group manual.* Unpublished manuscript, University of Colorado Medical School.
- Belgisch Centrum voor Farmacotherapeutische Informatie, www.bcfi.be, Transparantiefiche *Aanpak van ADHD,* december 2005.
- Brownell, H., Griffin, R., Winner, E., Friedman, O., & Happé, F. (2000). 'Cerebral lateralisation and theory of mind.' In S. Baron-Cohen, H. Tager-Flusberg & D.J. Cohen (eds.), *Understanding other minds: Perspectives from developmental cognitive neuroscience (2nd. ed.).* Oxford/New York: Oxford University Press.
- Brumback, R.A., Harper, C.R., & Weinberg, W.A. (2000). *Nonverbal Learning Disabilities, Asperger's Syndrome, Pervasive Developmental Disorder – Should we care?* Internet: www.nldline.com.
- Catteeuw, G., & Gheskiere, P. (1987). *GRIPA.* Kortrijk: Vrij CLB-centrum 3.
- Compernol, S. (1999). *Onderzoek naar de kenmerken van niet-verbale leerstoornis bij kinderen met een syndroom van Asperger.* Ongepubliceerde scriptie tot het behalen van de graad van licentiaat in de psychologie onder leiding van prof. Roeyers, Universiteit Gent.

- Cornoldi, C., Venneri, A., Marconato, F., Molin, A., & Montinari, C. (2003). 'A rapid screening measure for the identification of visuospatial learning disability in schools.' In *Journal of Learning Disabilities, 36* (pp. 299-306).
- Cracco, J. (1993). 'Niet verbale leerproblemen: een overzicht van Rourke's model.' In *Tijdschrift Klinische Psychologie, 23* (pp. 25-46).
- Cracco, J. (1999). 'Nonverbal Learning Disability syndrome: meer dan alleen een rekenstoornis.' In A.J.J.M. Ruijssenaars & P. Ghesquière (red.), *Neuropsychologische aspecten van problemen op school.* Leuven: Acco.
- Cuvelier, F. (1995). *De stad van axen. Gids bij menselijke relaties.* Kapellen: De Nederlandsche Boekhandel.
- D'Zurilla, T.J., & Goldfried, M.R. (1971). 'Problem solving and behavior modification.' *Journal of Abnormal Psychology, 78* (pp. 107-126).
- Danckaerts, M. (1998). 'Stoorzenders in de klas. ADHD: feit of fictie?' *School en Begeleiding, 15/3, nr. 24.*
- Danckaerts, M. (2004). 'Leer- en gedragsproblemen en medicatie: een verstandshuwelijk.' *Caleidoscoop, 16de jaargang nr. 5* (pp. 14-19).
- Degelder, B., Vroomen, J., & Van der Heide, L. (1991). 'Face recognition and lip-reading in autism.' *European Journal of Cognitive Psychology, 31,* (pp. 69-86).
- Desoete, A. (2004). 'Dyscalculie: problemen ('markers') in het secundair onderwijs.' In *Onderwijskrant 128* (pp. 26-41).
- Desoete, A. (2004). 'Diagnostische protocollen bij dyscalculie: Zin of onzin?' In *Significant, 3.*
- Desoete, A. (2005). 'Leerstoornissen in de basisschool.' In *Praktijkgids voor de basisschool, december 2005 – 13.*
- Ellis, H.D., Ellis, D.M., & Fraser, W. (1994). 'A preliminary study of right hemisphere cognitive deficits and impaired social judgments among young people with Asperger syndrome.' In *European Child Adolescent Psychiatry, 3* (pp. 255-266).
- Frith, U. (1989). *Autism: Explaining the enigma.* Oxford: Basil Blackwell Ltd.

- Fuerst, D., Fisk, J., & Rourke, B.P. (1989). 'Psychosocial functioning of learning-disabled children: Replicability of statistically derived subtypes.' In *Journal of Consulting and Clinical Psychology, 57* (pp. 275-280).
- Fuerst, D., Fisk, J., & Rourke, B.P. (1989). 'Psychosocial functioning of learning-disabled children: Relations between WISC Verbal IQ-performance, IQ discrepancies and personality subtypes.' In *Journal of Consulting and Clinical Psychology, 58* (pp. 657-660).
- Goesaert, P. (2000). *Wiskunde toets: signaleringstoets wiskunde (5de leerjaar).* Libellaan 19, Oostende.
- Goldberg, E., & Costa, L.D. (1981). 'Hemisphere differences in the acquisition and use of descripitive systems.' In *Brain and Language, 14* (pp. 144-173).
- Happé, F.G.E. (1997). 'Central coherence and theory of mind in autism: Reading homographs in context.' In *British Journal of Developmental Psychology, 15(1)* (pp. 1-12).
- Hobson, R.P., Ouston, J., & Lee, A. (1989). 'Naming emotion in faces and voices: Abilities and disabilities in autism and mental retardation.' In *British Journal of Developmental Psychology, 7* (pp. 237-250).
- Jarrold, C., & Russell, J. (1997). 'Counting abilities in autism: Possible implications for central coherence theory.' In *Journal of Autism and Developmental Disorders, 27(1)* (pp. 25-37).
- Joliffe, T. (1997). *Central coherence dysfunction in autistic spectrum disorder.* Cambridge: University of Cambridge.
- Joiffe, T., & Baron-Cohen, S. (1999). 'The Strange Stories Test: A replication with high-functioning adults with autism or Asperger syndrome.' In *Journal of Autism and Developmental Disorders, 29 (5),* (pp. 395-406).
- Jongepier, A.J.M. (1999a). 'NLD en rekenproblemen.' In *Tijdschrift voor Remedial Teaching, 2* (pp. 16-20).
- Jongepier, A.J.M. (1999b). 'NLD een topografie.' In *Tijdschrift voor Remedial Teaching, 3* (pp. 30-33).

- Klin, A., & Volkmar, F.R. (1997). 'Asperger's Syndrome.' In D.J. Cohen & F.R. Volkmar (eds), *Handbook of Autism and Pervasive Developmental Disorders.* USA: John Wiley and Sons.
- Klin, A., Volkmar, F.R., Sparrow, S.S., Ciccehtti, D.V., & Rourke, B.P. (1995). 'Validity and neuropsychological characterization of Asperger syndrome: Convergence with nonverbal learning disabilities syndrome.' In *The Journal of Child Psychology and Psychiatry and Allied Disciplines, Vol. 36, No. 7* (pp. 1127-1140).
- Klinger, L.G., & Dawson, G. (1995). 'A fresh look at categorization abilities in persons with autism.' In E. Schopler & G.B. Mesibov (eds.), *Learning and cognition in autism.* New York/London: Plenum Press.
- Kowalchuk, B., & King, J.D. (1989). 'Adult suicide coping with nonverbal learning disorder.' *Journal of Learning Disabilities, 22* (pp. 177-179).
- Meichenbaum, D. (1981). *Cognitieve gedragsmodificatie. Een integrale benadering.* Deventer: Van Loghum Slaterus.
- Mulder, G.A.L.A., & Paternotte, A. (1998). 'Meer care dan cure: gedragstherapeutische interventies bij kinderen en jeugdigen met ADHD.' In W.B. Gunning (red). *Behandelingsstrategieën bij kinderen en jeugdigen met ADHD.* Houtven/Diegem: Bohn Stafleu Van Loghum (pp. 49-67).
- Palombo, J., & Hatcher Berenberg, A. (1997). 'Psychotherapy for children with nonverbal learning disabilities.' In B.S. Mark, J.A. Incovaraen & J. Aronson (eds.), *The Handbook of infant, child and adolescent psychotherapy. Vol 2* (pp. 29-67). New Jersey: Jason Aronson Nortvale.
- Paternotte, A. (1998). 'Zo'n bijdehand kind. Het NLD-syndroom: oorzaken en gevolgen.' In *Balans Belang, november 1998* (pp.3-5).
- Roeyers, H., Carette, S., Van Maele, A., Impens, K., & Dierick, L. (2000). *Training van de perspectiefnemingsvaardigheden bij kinderen met een autismespectrumstoornis.* Destelbergen: Vormingsdienst SIG.

- Rourke, B.P. (1988). 'Socioemotional disturbances of learning disabled children.' In *Journal of Consulting and Clinical Psychology, 56* (pp. 801-810).
- Rourke, B.P. (1989). *Nonverbal learning disabilities: The syndrome and the model.* New York: Guilford Press.
- Rourke, B.P. (1993). 'Psychosociale dimensies van subtypen leerstoornissen: neuropsychologische studies in het Windsor Laboratorium.' In *Kinderen met cerebrale ontwikkelingsstoornissen, congres de Klokkenberg – Dr. Hans Berger Kliniek* (pp. 3-7).
- Rourke, B.P. (1995). *Syndrome of nonverbal learning disabilities. Neurodevelopmental manifestation.* New York: Guilford Press.
- Rourke, B.P. (2000). 'Neurospsychological and psychosocial subtyping: A review of investigations within the University of Windsor laboratory.' In *Canadian Psychology, 41(1)* (pp.34-51).
- Rourke, B.P., & Fuerst, D. (1991*). Learning disabilities and psychosocial functioning: A neuropsychological perspective.* New York: Guilford Press.
- Rourke, B.P., Young, G.C., & Leenaars, A.A. (1989). 'A childhood learning disability that predisposes those afflicted to adolescent and adult depression and suicide risk.' In *Journal of Learning Disabilities,* 22 (pp. 169-175).
- Ruijssenaars, A.J.J.M., & Ghesquière, P. (1999). 'Neuropsychologische aspecten van problematisch leren: perspectieven en grenzen.' In A.J.J.M. Ruijssenaars & P. Ghesquière (red.), *Neuropsychologische aspecten van problemen op school.* Leuven/Amersfoort: Acco.
- Ruijssenaars, A.J.J.M. (2001, aangepaste versie 2004) *Leerproblemen en leerstoornissen. Remedial Teaching en behandeling. Hulpschema's voor opleiding en praktijk.* Rotterdam: Lemniscaat.
- Ruijssenaars, A.J.J.M., Van Luit, J.E.H., & Van Lieshout, E.C.D.M. (2004). *Rekenproblemen en dyscalculie. Theorie, onderzoek, diagnostiek en behandeling,* Rotterdam: Lemniscaat.
- Serlier-van de Bergh, A.M.H.L. (2001). 'Non-verbale leerstoornissen (NLD)'. In *TOKK 26* (september 2001) nr. 2/3 (pp. 47-123).

- Shields, J., Varley, R., Broks, P., & Simpson, A. (1996). 'Hemispheric function in developmental language disorders and high-level autism.' In *Developmental Medicine and Child Neurology, 38* (pp. 473-486).
- Stinissen e.a. (1985). *Leuvense Schoolvorderingstest 2-6 (SVT).* Brussel: CSBO.
- Struyven, K., Sierens, E., e.a. (2003). *Groot worden. De ontwikkeling van baby tot adolescent. Handboek voor (toekomstige) leerkrachten en opvoeders.* Leuven: Lannoo Campus.
- Tager-Flusberg, H. (1995). 'Once upon a ribbit': Stories narrated by autistic children.' In *British Journal of Developmental Psychology, 13(1)* (pp. 45-59).
- Taylor, E., Sergeant, J., Doepfner, M., Gunning, W.B., Overmeyer, S., Möbius, H.J., & Eisert, H.G. (1998). *Clinical guidelines for hyper-kinetic disorder. European Child and Adolescent Psychiatry, 7(4)* (pp. 185-200).
- Thompson, S. (1998). *Stress, Anxiety, Panic and Phobias: Secondary to NLD.* Internet: www.nldline.com.
- Tsatsanis, K.D., Fuerst, D.R., & Rourke, B.P. (1997). 'Psychosocial dimensions of learning disabilities: External validation and relationship with age and academic functioning.' In: *Journal of Learning Disabilities, 30* (pp. 490-502)
- Van Berckelaer-Onnes, I.A., & Kwakkel-Scheffer, J.J.C. (1996). 'Spelinterventies voor kinderen met een autistische stoornis'. In *Tijdschrift van de Vereniging voor Kinder- en Jeugdpsychotherapie, 23 (2/3)* (pp. 77-92).
- Van den Brande, H., (1994). Leerprincipes bij de hulp aan kinderen met leerproblemen. *Caleidoscoop,* november-december 1994 (pp. 10-13).
- Van Luit, J.E.H. (1995). 'Rekenen'. In J.E.H. Van Luit & A. Meijer (Red.), *Onderwijs aan kinderen met een leerachterstand* (pp. 199-223*)*. Baarn: Intro.
- VCLB/Billiaert, E.,e.a. *LVS-VCLB/Leerling Volg Systeem: spelling, lezen en wiskunde,* Antwerpen: Garant.